JN315385

ユダヤ教の誕生

「一神教」成立の謎

荒井章三

講談社学術文庫

目次

凡例

一、聖書からの引用は原則として『聖書　新共同訳』（日本聖書協会）に拠った。なお本書において『聖書』は、ほとんどの場合ユダヤ教の「律法と預言者と諸書」（タナッハ）、即ちキリスト教の「旧約聖書」を意味する。

二、人名、地名の表記も『聖書　新共同訳』（「旧約聖書続編」も含む）に準拠したが、それ以外の人名、地名については、『旧約新約聖書大事典』（教文館）に拠った。ただし、例外もある。

三、年代については、J・ブライト『イスラエル史　上下』（聖文舎）に準拠した。王の場合は在位年を、預言者の場合は活動年を示す。古代の年代については、未だ確定したものがないので、多少の誤差のあることはお許しいただきたい。

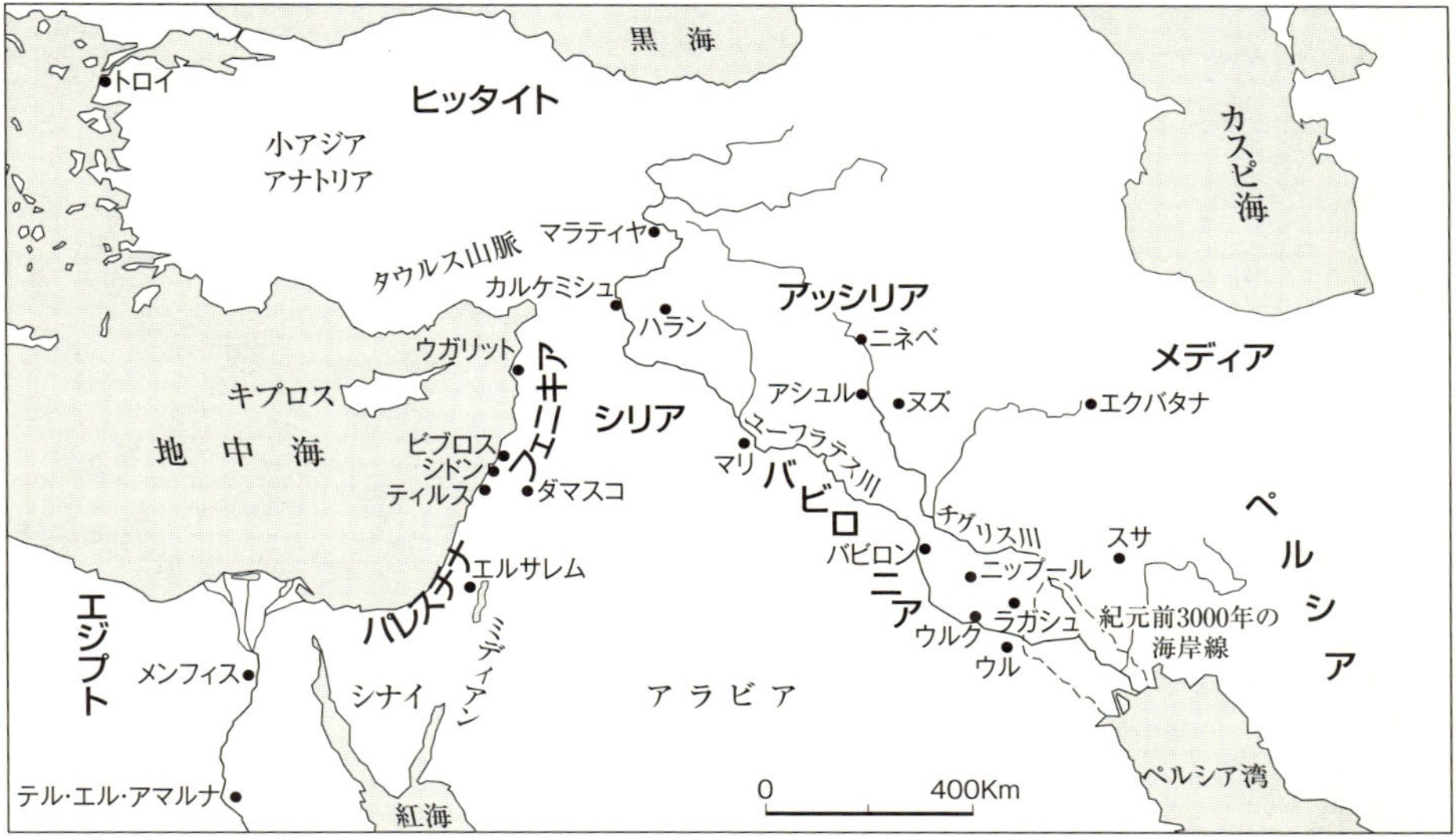
黒 海
トロイ
ヒッタイト
小アジア
アナトリア
カスピ海
マラティヤ
タウルス山脈
カルケミシュ
ハラン
アッシリア
ニネベ
メディア
ウガリット
フェニキア
キプロス
シリア
アシュル
ヌズ
エクバタナ
地 中 海
ビブロス
シドン
ティルス
ダマスコ
マリ
ユーフラテス川
バビロニア
チグリス川
ペルシア
スサ
バビロン
ニップール
エルサレム
パレスチナ
ラガシュ
紀元前3000年の
海岸線
ウルク
ウル
エジプト
メンフィス
ミディアン
シナイ
アラビア
ペルシア湾
0
400Km
テル・エル・アマルナ
紅海
古代オリエントの世界

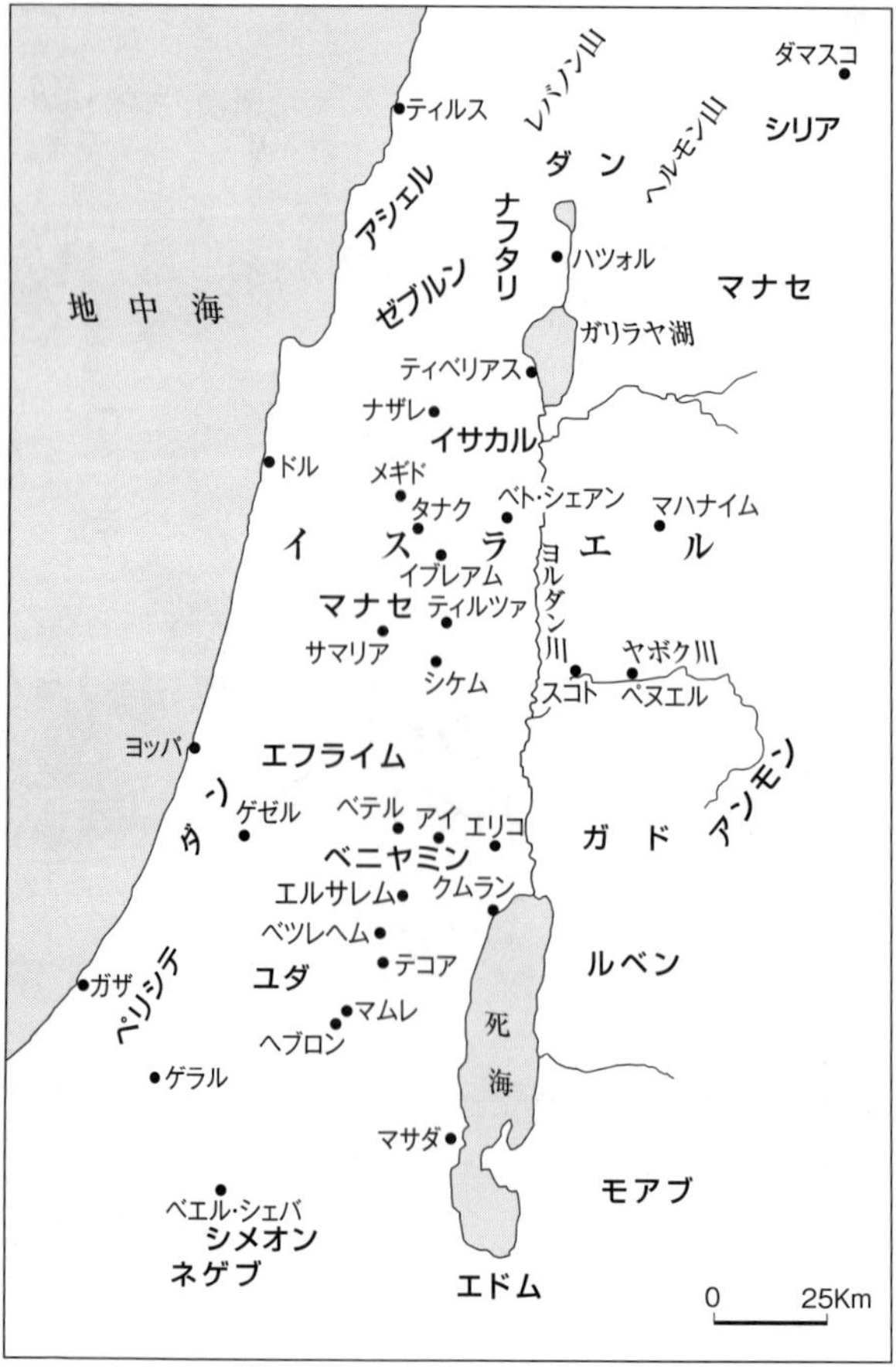
ダマスコ
ティルス
レバノン山
シリア
ダン
ヘルモン山
アシェル
ナフタリ
ハツォル
ゼブルン
マナセ
地中海
ガリラヤ湖
ティベリアス
ナザレ
イサカル
ドル
メギド
ベト・シェアン
マハナイム
タナク
イスラエル
イブレアム
ヨルダン川
マナセ
ティルツァ
サマリア
ヤボク川
シケム
スコト
ペヌエル
ヨッパ
エフライム
アンモン
ダン
ゲゼル
ベテル
アイ
エリコ
ガド
ベニヤミン
エルサレム
クムラン
ベツレヘム
テコア
ルベン
ガザ
ユダ
ペリシテ
マムレ
ヘブロン
死海
ゲラル
マサダ
モアブ
ベエル・シェバ
シメオン
ネゲブ
エドム
0
25Km

カナン（イスラエル）

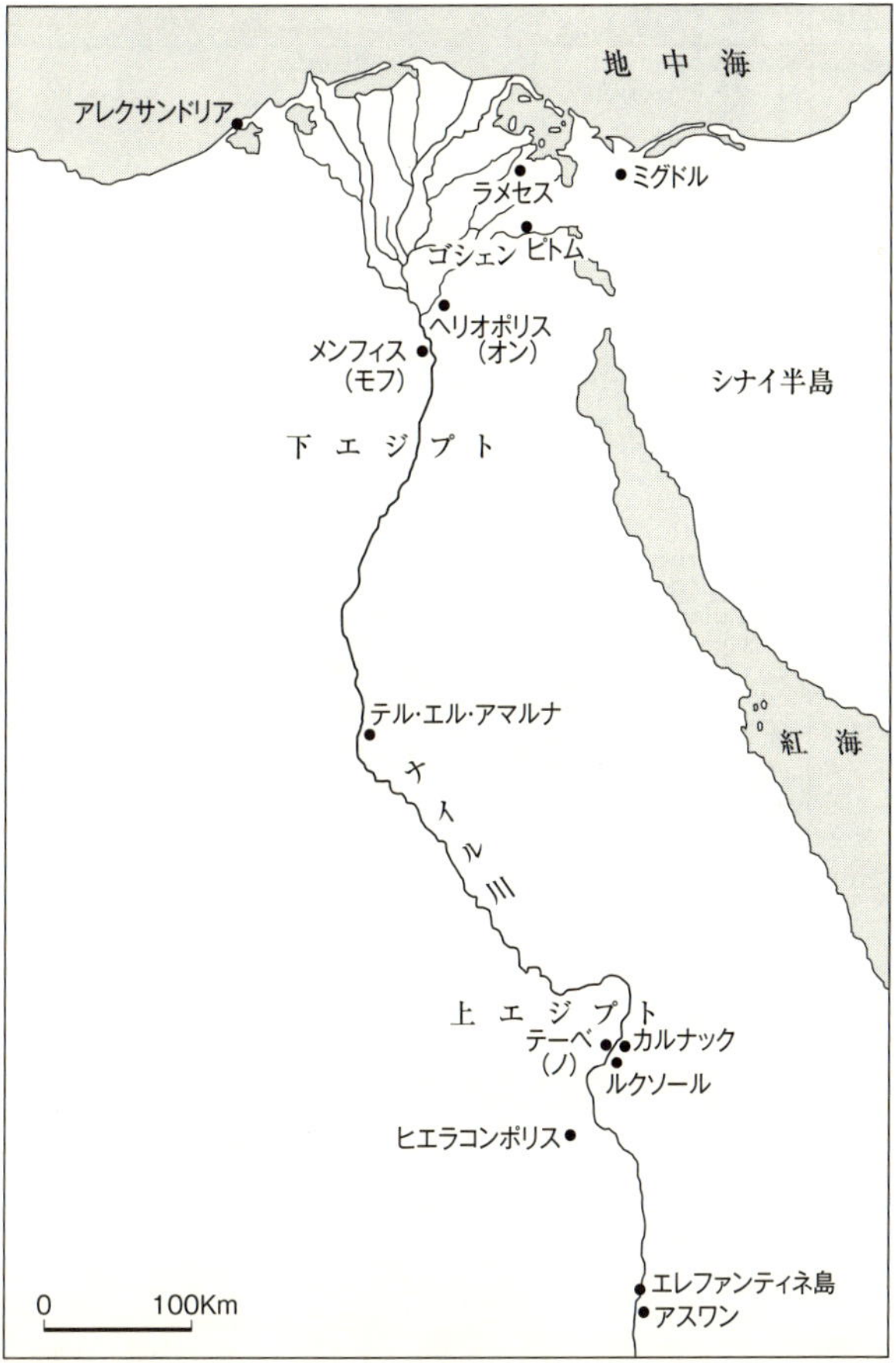

地中海
アレクサンドリア
ラメセス
ミグドル
ゴシェン
ピトム
ヘリオポリス
(オン)
メンフィス
(モフ)
シナイ半島
下エジプト
テル・エル・アマルナ
ナイル川
紅海
上エジプト
テーベ
(ノ)
カルナック
ルクソール
ヒエラコンポリス
エレファンティネ島
アスワン
0
100Km

エジプト

年代	政治	思想
紀元前	族長時代	口頭伝承
	出エジプト（1260頃）	モーセ
	王国時代	
1000	ダビデ（1000～961）	ナタン預言
	ソロモン（961～922）	
	王国分裂時代	
	ソロモン没後イスラエル（北）王国とユダ（南）王国に分裂（922）	エリヤ　エリシャ
		アモス　ホセア
	イスラエル（北）王国がアッシリアに滅ぼされる（722）	イザヤ
		エレミヤ
	ヨシヤによる改革（622）	申命記
		「申命記的歴史著作」の編纂
	第一次バビロン捕囚（597）	エゼキエル
	ユダ（南）王国が新バビロニアに滅ぼされる・エルサレム神殿破壊・第二次バビロン捕囚（587）	
	キュロス王の捕囚民解放令布告（538）	第二イザヤ
	ペルシア時代	
	第二神殿の再建（520～515）	ハガイ　ゼカリヤ
500		
	エズラがエルサレムに「律法」をもたらす（428？398？）	「五書」の正典化（400頃）
	ヘレニズム時代	
	アレクサンドロス大王（336～323）	七十人訳〔五書〕（250頃）
		「預言者」の正典化（200頃）
	アンティオコス・エピファネス（175～163）	ダニエル書（164）
		ハシディーム
	マカバイ戦争（167～162）	七十人訳〔預言者〕（150頃）
	ローマ時代	
	ユダヤがローマの属領となる（63）	
	ヘロデがローマ元老院よりユダヤ王の称号を受ける（40）	
紀元後		イエス（前6～後30）
100	ユダヤ戦争（66～70）	ヨセフス（37～100）
	バル・コクバの乱　第二次ユダヤ戦争（132～135）	
	エルサレム陥落（135）	ミシュナの編纂（220）
	ディアスポラ（離散の民）時代	パレスチナ（エルサレム）・タルムードの集成（400頃）
500		バビロニア・タルムードの集成（500頃）

関連年表

760	アモス 760		
745-640 アッシリア	ホセア 750-725	イザヤ 740（？）-701 (1-39章)	ミカ　740-700 ナホム　650頃
640-597 ヨシヤから 第一次捕囚まで	ゼファニヤ 630頃	エレミヤ 627-587/0	ハバクク 600頃
597-587 第一次捕囚から ユダ滅亡まで	エゼキエル 593-573		
587-538 ユダ滅亡から 解放令まで	オバデヤ 587/0頃	第二イザヤ 550-540 (40-55章)	
538-515 解放令から 神殿再建まで	第三イザヤ 539以後 (56-66章)	ハガイ 520	ゼカリヤ 520-518 (1-8章)
515-333 神殿再建から ペルシア時代 まで	マラキ 400頃	ヨエル 400頃	ヨナ 4-3世紀
(333) 301-200 プトレマイオス 時代	第二ゼカリヤ 300頃 (9-11章)	第三ゼカリヤ 3世紀 (12-14章)	
200- セレウコス時代	ダニエル 165		

預言者年表（西暦はすべて紀元前）

ユダヤ教の誕生

「一神教」成立の謎

プロローグ——ユダヤ教とは何か

律法の精髄——主を愛し、隣人を愛せ

紀元前後、イエスと同時代にユダヤで活躍した二人の学者がいる。ひとりはシャンマイ、もうひとりはヒレルというが、この二人は後のユダヤ教の二大学派であるシャンマイ派、ヒレル派の祖となった。この二人について、ひとつのエピソードが伝えられている。

ある異教徒がシャンマイのところにやって来て、片足で立っている時間内に律法全体を説明してほしいと頼んだところ、シャンマイは、持っていた物差しを振り上げ、「そのような不遜《ふそん》なことはできぬ」と言って、その異教徒を追い返してしまった。

そこで、その異教徒が今度はヒレルのところに行って、同じことを頼んだところ、ヒレルは「律法の精髄は『自分の欲しないことを他人にしてはならない』という戒《いまし》めにある。あとは、すべてこの戒めの注釈である」と答えたという。

このエピソードは、ユダヤ教の流れの両極端のありさまを巧みに示している。シャンマイの言うように、ユダヤ教の経典は膨大なもので、それをわずか数十秒で言い表すことは不可能である。しかし、一方では、ユダヤ教の本質は、人間の行動原理を示すことにあるのであ

って、ヒレルの言うように、「自分がしてほしくないことは、他人に対してするな」という点に集約されるのかもしれない。
このヒレルの言葉と同じことをイエスも語っている。『新約聖書』の「マタイによる福音書」の二二章三五節以下にはこう録されている。

彼ら（ファリサイ派）のうちの一人、律法の専門家が、イエスを試そうとして尋ねた。「先生、律法の中で、どの掟《おきて》が最も重要でしょうか」。イエスは言われた。「『心を尽くし、精神を尽くし、思いを尽くして、あなたの神である主を愛しなさい』。これが最も重要な第一の掟である。第二も、これと同じように重要である。『隣人を自分のように愛しなさい』。律法全体と預言者は、この二つの掟に基づいている」。

イエスは第一の掟で神との関係を、第二の掟で人との関係を説いている。最初の掟は、『旧約聖書』の「申命記《しんめいき》」六章四節の「聞け、イスラエルよ。我らの神、主は唯一の主である。あなたは心を尽くし、魂を尽くし、力を尽くして、あなたの神、主を愛しなさい」からの引用であるが、この句は、最初の言葉「聞け、イスラエルよ」（シェマア・イスラエル）によって、通常「シェマア」と呼ばれている有名な句である。
ユダヤ人は、このシェマアを「家の入り口の柱」（メズーザー）に刻んだり、羊皮紙に手書きして小箱に入れて柱に打ちつけた。あるいは、皮製の小箱（テフェリン）に入れて身につけたり、革帯に書いて額や左腕につけたりしている（「申命記」六章八節参照）。また、ユダヤ人は日に二回はこの言葉を唱《とな》える。第二の掟も「レビ記」一九章一八節からの引用である。

ユダヤ教の中心原理としての律法

イエスはこの二つの掟を律法全体の精髄であると受け取っているだけではない。「マタイによる福音書」一九章一六節以下ではこう述べている。

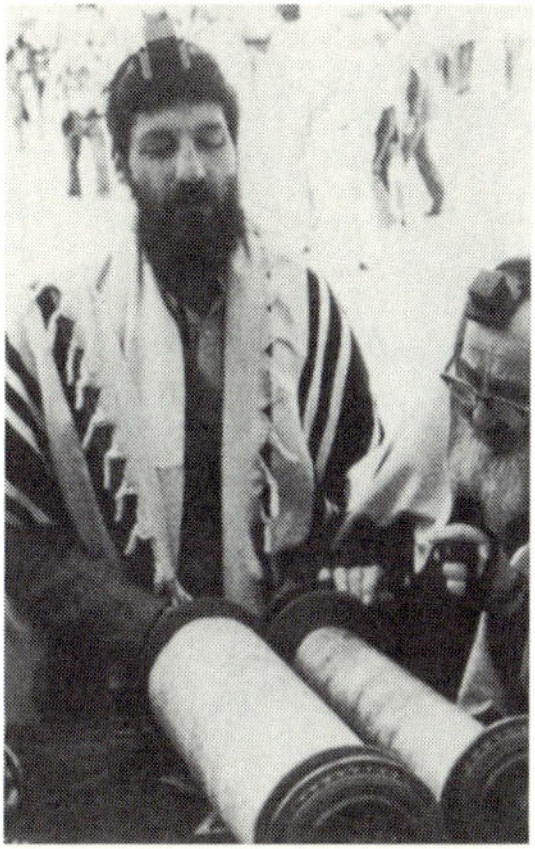
トーラーを前に祈るラビ（テフェリンを頭につけている）

さて、一人の男がイエスに近寄って来て言った。「先生、永遠の命を得るには、どんな善いことをすればよいのでしょうか」。イエスは言われた。「なぜ、善いことについて、わたしに尋ねるのか。善い方はおひとりである。もし命を得たいのなら、掟を守りなさい」。男が「どの掟ですか」と尋ねると、イエスは言われた。「『殺すな、姦淫するな、盗むな、偽証するな、父母を敬え、また、隣人を自分のように愛しなさい』」。そこで、この青年は言った。「そういうことはみな守ってきました。まだ何か欠けているでしょうか」。イエスは言われた。「もし完全になりたいのなら、行って持ち物を売り払い、貧しい人々に施《ほどこ》しなさい。そうすれば、天に富を積むことになる。それから、わたしに従いなさい」。青年はこの言葉を聞き、悲しみながら立ち去った。たくさんの財産を持っていたからである。

イエスは律法の精髄を述べただけではない。それを実行せよと命じている。掟が何のためにあるのか。それは守るためにある。つまり、掟は行動原理として存在するのである。ユダヤ教で重要なのは、たしかに律法であるが、その律法はただ単に教えとして重要なのではなく、それを実行することがより重要なのである。もちろん、律法を守ることに汲々《きゅうきゅう》となり、悪名高いファリサイ人のように、律法を守りさえすればよいという、律法至上主義になってしまう恐れがなきにしもあらずであった。しかし、それにもかかわらず、律法はユダヤ教あるいはユダヤ社会の中心的原理であった。

律法を守れば祝福が与えられる

今まで「律法」と訳してきた言葉のヘブル語（ヘブライ語）は「トーラー」であるが、この「トーラー」は、本来的には（神の）「教え」とでも訳すべき幅広い意味を持っている。したがって、この単語が律法（nomos, lex, law, Gesetz, loi）と狭義に訳されることによって、ユダヤ教に対する誤った前理解が生じる契機を与えたと言わざるをえない。

最初、トーラーは、「主の教え《トーラー》はシオンから出、御言葉はエルサレムから出る」（「イザヤ書」二章三節）が示すように、シオン（＝エルサレム）から発せられる「神の教え」つまり「神の言葉」を意味していた。トーラーは、人々が具体的な問題について神に問うとき、礼拝や祭儀の場で祭司を通して語られたのである（例、「ハガイ書」二章一一～一四節）。したがって、トーラーは、祭司など、資格をもつ職務者の口を通して――神の名において――媒介される教えであった。

次に、トーラーは、このような個々の指示が書物としてまとめられたもの、例えば、いわゆる「神聖法典」（「レビ記」一七～二六章）や「十戒」（「出《しゅつ》エジプト記」二〇章）などの集成を意味するようになった。このような神の意志告知を表すトーラーを守るならば、祝福が与えられ、守らない場合には、呪いが下される（「申命記」二八章）。つまり、トーラーの実行ないし不実行が救いか否かを決定するのである。

最後に、トーラーは、『旧約聖書』の最初の五巻の書物、つまり、「創世記《そうせいき》」「出エジプト記」「レビ記」「民数記《みんすうき》」「申命記」のまとまりを指すこととなった。モーセが書いたという伝承から「モーセ五書」と呼ばれることが多い。このようなまとまりは、紀元前（以下、

「前」とのみ表記）およそ五世紀には成立していたと思われる。遅くとも、前三世紀には、この部分のギリシア語訳が完成していたことからも、それ以前には、ヘブル語でのまとまりがあったと考えざるをえないであろう。

『旧約聖書』の三区分

ユダヤ教では、キリスト教が『旧約聖書』と呼び習わしている正典は『トーラーとネビイームとケトゥビーム』と呼ばれる。『旧約聖書』という呼称は、あくまでも『新約聖書』との対比でキリスト教がもちいる呼び方であって、ユダヤ教のものではない。「トーラー」については先にその書名を挙げた五巻である。

「ネビイーム」（ナービー「預言者」の複数形）は、「ヨシュア記」「士師記《ししき》」「サムエル記」「列王記」の「前の預言者」と「イザヤ書」「エレミヤ書」「エゼキエル書」「十二小預言書」の「後の預言者」から成り、さらに「ケトゥビーム」（「書かれたもの」の意で複数形）は、「詩編」「ヨブ記」など残りの書で「諸書」と訳されることが多い。Torah, Nebiim, Kethubim のそれぞれの頭文字を取ってＴＮＫ、タナッハ（タナック）と呼ばれることが多い。このような三区分はどのようにして成立したのであろうか。

最近、カトリック教会とプロテスタント教会との協力によって翻訳された新共同訳には、『旧約聖書』と『新約聖書』の他に「旧約聖書続編」が含まれている。この「続編」は「旧

ヘブル語本文	日本語聖書
I．律法（トーラー）	I．律法
創世記	創世記
出エジプト記	出エジプト記
レビ記	レビ記
民数記	民数記
申命記	申命記
II．預言者（ネビイーム）	II．歴史
(a)　前の預言者	ヨシュア記
ヨシュア記	士師記
士師記	ルツ記
サムエル記（上下）	サムエル記（上下）
列王記（上下）	列王記（上下）
(b)　後の預言者	歴代誌（上下）
イザヤ書	エズラ記
エレミヤ書	ネヘミヤ記
エゼキエル書	エステル記
十二小預言書（ホセア・ヨエル・アモス・オバデヤ・ヨナ・ミカ・ナホム・ハバクク・ゼファニヤ・ハガイ・ゼカリヤ・マラキ）	III．詩文学 ヨブ記 詩編 箴言
III．諸書（ケトゥビーム）	コヘレトの言葉
詩編	雅歌
ヨブ記	IV．預言
箴言	イザヤ書
ルツ記	エレミヤ書
雅歌	哀歌
コヘレトの言葉	エゼキエル書
哀歌	ダニエル書
エステル記	十二小預言書
ダニエル書	
エズラ記、ネヘミヤ記	＊大体七十人訳（下の外典も含む）の順序によっている
歴代誌（上下）	
外典　トビト記、ユディト記、エステル記（ギリシア語）、マカバイ記一・二、知恵の書、シラ書（集会の書）、バルク書、エレミヤの手紙、ダニエル書補遺〔アザルヤの祈りと三人の若者の賛歌、スザンナ、ベルと龍〕、エズラ記（ギリシア語）、エズラ記（ラテン語）、マナセの祈り	

『聖書』の書名

約外典」（アポクリファ）とも呼ばれる。

ほとんどの書がギリシア語で書かれているため、ユダヤ教はこれらの書物を正典とは公認しなかったが、カトリック教会は「第二正典」として認めてきた。プロテスタント教会は『旧約聖書』に関しては、ヘブル語本文のみを公認したため、「旧約外典」を容認してこなかったが、現在では、カトリック・プロテスタントの教派をこえた動きのなかで、認められるようになっている。

そのなかの一書で、前二〇〇年頃に成立した「シラ書」の序言一節には、「律法の書と預言者の書およびその後に書かれた他の書物」という三区分が示されている。最後の「その後に書かれた他の書物」のなかに、どのような書物が含まれていたのか、明らかではないが、最終的な決着がついたのは、紀元後一世紀末のことであったと言われている。

キリスト教の側の証言として、例えば、「ルカによる福音書」二四章四四節をあげることができるであろう。そこではイエスが「モーセの律法と預言書と詩編」を説き明かしたとあって、『旧約聖書』の三区分が述べられているが、最後の第三区分については「諸書」という名称がもちいられておらず、その代表としての「詩編」だけがあげられていた。「ルカによる福音書」がまとめられた紀元後八〇年頃の段階では、まだ、「諸書」という名称がなく、また、その中身も流動的であったことを示している。

しかし、それにもかかわらず、ユダヤ教の側でも、キリスト教の側でも、この時期にはすでに「トーラー」が「モーセ五書」に限定されていたと考えることができる。そして、この第一区分の「トーラー」が最も権威あるものとして受け取られていたのである。

『聖書《タナッハ》』をいかに解釈するか

しかしながら、「伝承はトーラーの垣根である」という言葉がある（ミシュナ「アボト」〈父祖の言葉〉三章一三節）。ここでの「トーラー」は本来的な意味での「神の教え」であって、「モーセ五書」を意味するトーラーをはじめ、預言者も諸書も含めて、すべての伝承が、本来的意味での「トーラー」の境界を示し、これを守る垣根としての働きをなすということを意味している。

したがって、「トーラー」が固定的なものでなかったことに注目する必要がある。トーラーは、そのつど新たに語られる神の言葉として、つまり、法的に静止したものではなくして、ダイナミックな、生の規範として受け取られたのである。

たしかに、それが文字化されることによって、トーラーの客体化が生じた事実は否めない。しかし、この固定化された文字を流動する現実のために生きたものとして適用するための努力が、それ以後ラビ（律法学者）たちによって続けられたトーラーの解釈の歴史でもある。

そのような意味では、『新約聖書』もまた、そのようなトーラー解釈の一つであると見なすこともできよう。しかし、キリスト教の側からは、パウロが「文字は殺しますが、霊は生かします」と述べているように(「コリントの信徒への手紙」二 三章六節)、いわゆる『旧約聖書』には、「古くて、廃棄されるべき」ものとしての否定的な評価しか与えられていない。まさに『「旧約」聖書』として位置づけられたのである。

ただし、『旧約聖書』を廃棄しなかったのは、当初のキリスト者がユダヤ人であったことを考慮せざるをえなかったからであろう。したがって、「預言と成就《じょうじゅ》」とか「預言と福音」という形で、つまりイエス・キリストの到来の「預言の書」として、これをもちいたのである。ただし、その際、ユダヤ教との対立のなかで、キリスト者はヘブル語『聖書』ではなく、ギリシア語訳『聖書』を意識的にもちいた。

しかし、このようなキリスト教側の対応に対して、ユダヤ教では「もし、霊が生きたものであるはずならば、文字もまた生きたものであるはずである」と考えた。神のトーラーの文字は、霊の必要な衣装であるからである。

律法こそ宇宙の根本原理

それゆえ、ユダヤ人たちは、トーラーを、単に「モーセ五書」や『聖書《タナッハ》』(以下、原則として『聖書』は「タナッハ」を意味する)以上のものとして理解している。タルムードを含め、今日までの、あるいはこれから生じる未来のユダヤの伝承や教えの総体なのである。

トーラーの冒頭の言葉「初めに」（「初めに、神は天地を創造された」「創世記」一章一節）ですらトーラーと結びつけられている。すなわち、トーラーは初めであり、創造原理そのものだった。神はトーラーによって世界を創造し、創造者と被造物との結びつきを初めて可能にしたのである。

「神はトーラーによって天と地とを創造された」。ここには、「箴言《しんげん》」八章二二節以下の「主は、その道の初めにわたし（知慧）を造られた。いにしえの御業《みわざ》になお、先立って。永遠の昔、わたしは祝別されていた。太初、大地に先立って。わたしは生み出されていた。深淵も水のみなぎる源も、まだ存在しないとき」という「知慧」とトーラーの同定が見られるかもしれないが、トーラーが宇宙の根本原理として世界以前に存在したように、これからも過ぎ去ることなく存在し続けるであろうことが主張されているのである。「すべてのことが実現し、天地が消えうせるまで、律法の文字から一点一画も消え去ることはない」（「マタイによる福音書」五章一八節）。あるラビの証言によれば、神みずから日に三時間トーラーを学んでおられるという（バビロニア・タルムード「アボダー・ザラー」〔異教礼拝〕三b）。

シナイ山ですべての律法が与えられた

『聖書』によれば、トーラーは実際には、モーセに初めてシナイ山において啓示され、神とイスラエルの民とのあいだで結ばれた契約の記録となったのであり、その意味で最も権威あるものであった。

しかし、ラビたちは、「わたしのもとに登りなさい。山に来て、そこにいなさい。わたしは、彼らを教えるために、教えと戒めを記した石の板をあなたに授ける」(「出エジプト記」二四章一二節)という箇所を「わたしは、石の板と、トーラーと、戒めと、わたしが書いたものと、彼ら(イスラエルの民)を教えるものを、おまえに与えるであろう」と読み替えて、次のように解釈している。

すなわち、「石の板」は十戒、「トーラー」は「モーセ五書」、「戒め」はミシュナ、「わたしが書いたもの」は「預言者」や「諸書」、そして「彼らを教えるもの」はゲマラであるという。ミシュナとゲマラはタルムードをなす伝承である(二六一ページ参照)。しかも、「神はこれらすべての言葉を告げられた」(「出エジプト記」二〇章一節)という十戒の序文を引用して、そこですでにタルムードの告知もなされているとユダヤ人は考えたのである。

では、このようにトーラーがすべてシナイ山において啓示されたということから、どのような帰結が出てくるであろうか。重要な戒めと、そうでない戒めとの区別は許されないであろう。したがって、ユダヤ人にとって、十戒だけが突出したものではないのである。たしかに十戒にはすべてのトーラーが含まれている。しかし、十戒がトーラーのなかの一つにすぎないという逆のことも言えるのである。

おそらく、このような見方は、十戒を特別視して、トーラーの祭儀的、典礼的な規定を拒否する特定の（キリスト教的）グループに対する防禦的《ぼうぎょてき》な態度であったかもしれない。さらに、このような見方は、口伝的《くでんてき》トーラーと文書的トーラーとの原理的な同一視につながっていった。否、むしろ口伝的トーラーが優位を占めるようになり、それを知ることが文書的トーラーの理解には不可欠の前提とすらなったのである。したがってタルムードには、口伝的トーラーの学習には、文書的トーラーの学習の二倍を当てねばならないという規則が述べられているほどである（バビロニア・タルムード「キドシーン」〔婚約〕三〇a）。

しかし、そのような傾向にもかかわらず、直接的なトーラーの啓示は「モーセ五書」のなかに書き留められているのであるから、「五書」が他の書物よりも、より高い権威を持つことは当然であるという考え方が、もう一方に存在したことも事実である。預言者たちはトーラーをもはやモーセのように「口から口へと」直接に受け取ったのではなく（「民数記」一二章八節）、単に「預言の霊」を受けて、その助けによって、トーラーの解釈をすることができたにすぎない。

「諸書」にいたっては、神の言葉と人間の言葉とが混ざっており、後代において正典化の過程で、正典に入れるべきか否かで論議された書もあったほどである。さらに、後代のラビたちは時折「声の娘《バト・コル》」、すなわち、つねに信頼しうるとはかぎらない天の声の反響を聞くのみであった。このように、時代を経るにしたがって、神の言葉が人間から遠ざかっていく。それだけにますますシナイ山で与えられた言葉が強調されていくようになったのである。

このような二重のトーラー解釈（口伝的トーラーも含めて、すべてのトーラーが等しい価値をもつという解釈と、「モーセ五書」のみを重視する解釈）のなかに問題性があらわになる。人々は、いわゆる口伝的トーラーがしだいに成長してきたことを知っているのであるが、それにもかかわらず、シナイ山に起源を持つという虚構に固く立っているからである。このような二重性のなかで、トーラーをめぐる解釈の歴史がそのままトーラーを拡大し、後のタルムードを形成することになったのである。タルムードの成立ははるか後代になってからである。したがって、タルムードについては最終章で触れることにしよう。

ユダヤ教──長い歴史が生んだ「行動原理」としての宗教

以上見てきたように、ユダヤ教は「トーラー」と深くかかわっている。そして、「トーラー」が「神の教え」として広義に、あるいは、「律法」として狭義に理解されたにしても、それは、単に学問的な対象として存在してきたわけではない。先に述べたように、これは社会原理としての意味を担《にな》ってきたのである。

「トーラー」は、モーセの律法とも呼ばれているから、モーセがユダヤ教の創始者、あるいは設立者のように見なされることが多い。たしかに、彼はイスラエルの人々をエジプトから救い出し、シナイ山において十戒を神から授与されたと言われている。

しかしモーセは、シャカムニやムハンマドのように、人間存在の真理についての教えを述べてはいない。モーセはあくまでも、エジプトで奴隷として苦しんでいるイスラエルの人々を救出した「解放の指導者」であり、その解放された人々が生きていくうえで必要とされる「神の教え」を媒介した仲介者であるにすぎない。

彼が神からの権威を授《さず》けられたものとして描かれていることは、たしかである。しかし、たとえそうであっても、彼はけっして、真理の体現者として描かれてはいない。彼は、出エジプトという出来事と結びついた歴史的人物として描かれているのである。しかも、単なる歴史上の一人物として登場するのではなく、イスラエルの歴史を決定的に変革した出来事と深いかかわりをもつ人物として描かれている。そして、「モーセ五書」についても、その大半が法律的文書で占められているとはいえ、それは、歴史的な脈絡のなかに置かれているのである。

その意味において、「トーラー」は歴史を生きてきたイスラエルの「行動原理」を示す歴史的証言なのである。後代のラビたちが、この「トーラー」をいかに解釈しようとも、それが「行動原理」として、認め続けられてきたことは間違いない事実である。ユダヤ教は、そもそもモーセという一人物によって創始されたものではなく、長い歴史の過程のなかでつちかわれてきた宗教なのである。したがって、その歴史と切り離して、ユダヤ教について語ることはできない。

われわれは本書で、ユダヤ教の成立までを中心に考察を進めていくこととするが、まず最初に、ユダヤ教のあらましと本書の全体像を示しておきたい。

苦難のユダヤ人を支えたユダヤ教

われわれは、よく「偽善者」とか「形式主義者」のことを「パリサイびとだ」と言って非難することがある。パリサイ人（ファリサイ派）とは、律法を重視したユダヤ教の一分派にすぎないのであるが、われわれは、このファリサイ派をユダヤ教と同一視して、ユダヤ教徒を極端な律法主義者のように誤解してしまうことが多い。

例えば、あの有名なシェークスピア（一五六四〜一六一六）の『ヴェニスの商人』に登場するユダヤの商人シャイロックは、最後には、自分の定めた契約条件（肉一ポンド）を逆手に取られる間抜け者として揶揄《やゆ》されるのだが、法律を盾にとる冷血無比の人物に仕立て上げられている。とりわけ、第一幕の最後の「あのユダヤ人（シャイロック）もキリスト教徒に改宗しそうだな、親切になったよ」「口がきれいで腹が黒いやつはきらいだな」というアントーニオとバッサーニオの会話には、ユダヤ教徒は腹黒く、キリスト教徒は親切だという偏見が見える。もちろん、舞台はヴェニスであるが、ちなみに、シェークスピアの時代、ユダヤ人たちはすでに英国から追放されていて、シェークスピアのまわりには存在していなかったのである。

このようにユダヤ人は、とりわけヨーロッパ社会において大きな差別を受けてきた。それはもちろん、彼らが律法主義者であったという理由からだけではない。ユダヤ教（徒）は、キリスト教の母胎であるにもかかわらず、神の子イエスを十字架につけた民、神を冒瀆《ぼうとく》した民として、キリスト教から不当な差別を受け続けてきたのである。

彼らは、紀元後二世紀の半ば、ローマによってエルサレムから追放されて以来、エジプト、メソポタミア、ギリシア、ローマ、そしてスペイン、ロシアなどの東西ヨーロッパの各地に移り住み、独自の社会を形成し、独自の文化を維持してきた。もちろんまわりの社会と同化した者が皆無であったというわけではないが、それはやむなく迫られた選択であり、ユダヤの歴史は苦渋の色に染められていたと言えよう。そして、その苦難の連続のなかで、彼らを支えてきたのが、まさにユダヤ教であった。

ユダヤ教はキリスト教、イスラームの母胎

ユダヤ教は、唯一の神のみを礼拝する世界三大宗教の一つである。しかも他のキリスト教、イスラームの母胎となった宗教であり、その歴史は最も古い。さらに、他の二つの世界宗教にイエス、ムハンマドという創始者が存在しているのに対し、ユダヤ教の場合、アブラハムもモーセもその創始者と言うことはできない。

たしかに彼らが、ユダヤ教の歴史において重要な役割を担ってきたことは事実である。しかし、彼らが、ユダヤ教の教義を創り出したわけではない。むしろ、その教義は長い歴史の

なかから生み出されてきたのである。「ヤハウェ以外に神はない。そしてイスラエルはその預言者である」（J・ヴェルハウゼン『イスラエル・ユダヤ史』）という言葉が示すように、イスラエルという民がある意味では主体となって創出してきた宗教なのである。

「ユダヤ教」はその名が示すように、主としてユダヤ地方に住むユダヤ人たちが信仰してきた宗教であるから、真の意味では、「世界宗教」とは言えないかもしれない。しかし、「他の神々の礼拝を拒否する者は誰でもユダヤ人と呼ばれる」という「バビロニア・タルムード」の「メギラー」〔エステルの巻物〕一三aの言葉によれば、ユダヤ教は民族の枠内にとどまるのではなくて、一応普遍的な宗教を目指していることも事実である。それにもかかわらず、ユダヤ教徒の数は、キリスト教、イスラームに比べれば、圧倒的に少数であり、イスラエルを中心に全世界でおおよそ一五〇〇万人でしかない。それもほとんどは、ユダヤ人から成っている。

このように他の宗教に比べて、特異な性格を持つユダヤ教が人々の注目を集めてきており、また今も集めているのは、なぜだろうか。ヨーロッパでは、古くは、アンチ・キリストとしてキリスト教会から信仰的・社会的迫害を受けてきたし、また、現代においても、アンチ・セミティズム（反セム民族主義）の名目で、ナチスの迫害を受けたことについては説明するまでもないであろう。このような不幸な出来事の淵源はどこにあるのだろうか。

一九四八年「イスラエル」国家がパレスチナに成立した。周辺の国々との戦争、また当然のことながら、先住のパレスチナ・アラブ人との軋轢《あつれき》を抱えながら、ユダヤ人は曲がりなりにも、先祖たちが長年念願してきたシオニズム（エルサレム神殿の立つシオンの丘への復帰をスローガンとする主義主張）を成就したのである。

かつてのダビデの町エルサレムもイスラエルに帰属するものとなり、人々は「嘆きの壁」の前でトーラーの朗読に余念がない。当然のことながら、ソロモン神殿はなく、そこでの祭儀はもはやおこなわれることはない。人々は安息日に会堂（シナゴーグ）に集まり、トーラーの言葉を聞き、その解釈を学ぶ。かつての仰々《ぎょうぎょう》しい犠牲奉献はなく、簡素な礼拝があるのみである。その意味では、ユダヤ教は、キリスト教と同じく、「書物（言葉）の宗教」と言ってよい。

個人の場合はどうであろうか。誕生後八日目には「割礼」を受ける。これは人がユダヤ教徒となる第一歩である。女の子の場合は一二歳になると「バト・ミツヴァ」（戒めの娘）の祝いをする。男の子の場合は、一年遅れの一三歳に「バル・ミツヴァ」（戒めの息子）となる。一年の差はおそらく肉体的・精神的成熟の差とかかわりがあるだろうが、いずれにせよ、彼らは宗教的に見て、一人前と見なされ（キリスト教の場合は、生まれたときに洗礼を受け、やはり、一二～一三歳頃に堅信式《けんしんしき》〔confirmation〕を受ける）、それ以後の生活を「戒めへの喜び」をもって送ることになるのである。

この「戒め」あるいは「律法」は、後に述べるように、基本的なものだけでも六一三もあって、律法が精神生活、物質生活の隅々にまで行き渡り、ユダヤ教徒の全生活を律しているといっても過言ではない。彼らは「安息日」（土曜日に当たる。ユダヤ教の週では、日曜日が第一日目である）ごとに会堂に集まり、熱心に「タナッハ」を学ぶ。彼らが「律法の民」と言われる所以《ゆえん》である。

もちろん、いくつかの祭りが日々の生活にいろどりを添えるが、これらの祭りはほとんど歴史的な出来事と深く結びついている。例えば、「過越祭《すぎこしさい》」（ペサハ）はエジプトからの脱出を記憶し、「宮潔《みやきよ》め」（ハヌカ）はギリシアの圧政からの独立を記念する祭りである。

そして、重要なことは、これらの出来事がイスラエルの民の主体的な行動を通して生起したのではなくして、神の愛と正義、あるいは救済と審《さば》きと深く結びついているという事実の認識である。ユダヤの民は、苦難の歴史を通して、彼らの神ヤハウェへの信仰を顕《あら》わにしてきたのである。その意味で、祭りは慣習の単なる反復ではない。彼らにとって、それらの出来事は歴史化されて記憶されるのである。このような「記憶」はきわめて重要である。記憶からのみ変革が生じうると彼らは考えているからである。

本書の概要

本書では、ユダヤ教の正典『聖書』を読みときながら、ユダヤ教が誕生していく軌跡を追い、およそ一〇〇〇年の歴史をたどりつつ、歴史的な転換点において現れてきた、彼らの神理解の変化に焦点を当てながら、なぜ彼らが「一神教」を成立させ、「律法の民」となっていったのかを考察する。

まず、第一章では、アブラハムやヤコブなどイスラエルの先祖たちについて語る「創世記」の伝承に光を当てながら、彼ら族長たちに現れた神がとりわけ「導く神」であることを明らかにする。第二章では、モーセに初めて「ヤハウェ」という名を顕わにした神が、エジプトで奴隷であったイスラエルの民を解放する民族共同体の神であることを「出エジプト記」を中心に述べる。第三章では、イスラエルの民のカナン定着についてのいくつかの学説を参照しながら、彼らが「ヘブル」と呼ばれるにいたった経緯に迫る。第四章では、本来半遊牧の小家畜飼育者の神であった「族長の神」が、農耕の神に変身せざるをえなかった理由を、王国体制のなかに求める。

第五章では、預言者たちによる「選民思想」あるいは「王国」批判を取り上げ、メシア思想の淵源についても言及する。第六章では、新バビロニア帝国によるエルサレム破壊とユダ王国の崩壊によるバビロン捕囚《ほしゅう》の時期に活動した預言者エゼキエルの思想を中心にして、「一神教」成立の前段階を考察する。第七章では、エゼキエルよりやや遅れてバビロンで活動した「第二イザヤ」の説く「創造神・唯一神」と「苦難の僕」の両面性について触れる。第八章では、祖国を失った民が、その拠り所を「律法」と「メシア待望」に求めるが、それらはけっして異質なものではないことを述べることにしよう。

第一章　導く神──放浪の民に与えられた約束

歴史を救済史としてとらえる

『聖書』「創世記」に遊牧の民の族長として登場するアブラハムこそがイスラエルの始祖であり、彼からイスラエルの歴史が始まる。土地を持たない彼に神から「土地の約束」と「子孫の約束」が与えられる。その約束はいかに成就されていくのだろうか。それを物語るのが「創世記」の「族長物語」である。その中には、「約束」を導きの糸としてイスラエルの古い伝承が巧みにつなげられて伝えられている。それを読み解きながら、族長たちの実態と、彼らが信じた神について考察していこう。

わたしの先祖は、放浪の一アラム人であり、わずかな人を伴ってエジプトに下り、そこに寄留しました。しかしそこで、強くて数の多い、大いなる国民になりました。エジプト人はこのわたしたちを虐《しいた》げ、苦しめ、重労働を課しました。わたしたちが先祖の神、主に助けを求めると、主はわたしたちの声を聞き、わたしたちの受けた苦しみと労苦と虐げを御覧になり、力ある御手と御腕を伸ばし、大いなる恐るべきこととしるしと奇跡をもってわたしたちをエジプトから導き出し、この所に導き入れて乳と蜜の流れるこの土地を与えられました。わたしは、主が与えられた地の実りの初物を、今、ここに持って参りました。（「申命記」二六章五〜一〇節）

これは、イスラエルの民がエジプトから脱出して、約束の土地に入ったとき、収穫の初物を持って聖所の祭壇にそなえるときに、神に向かって語るべき言葉である。一種の信仰告白と言ってよい。しかし、この告白は、神に対する普遍的な信仰を告白しているのではなくて、自分たちの歴史を振り返りながら、その歴史のなかでなされた神の奇跡的な行為が述べられている。その点に、大きな特徴を認めることができる。神の救済の業《わざ》は、あくまでも歴史的な出来事のなかでとらえられている。

このような救済史的な把握の仕方がユダヤの思想的な営為を規定するものであり、それはまた、ひいてはキリスト教、さらにヨーロッパの思想にも大きな影響を与えたのである。この、学問的には「小歴史的信仰告白」(ein kleines geschichtliches Credo) と呼ばれている信仰告白[1]は、三つの出来事——先祖の歴史、エジプト滞在・脱出、約束の土地への定住——から成り立っている。それに従いながら、イスラエルの歴史を簡単に述べておきたい。

ラクダを連れて旅するベドウィン

オアシスに集まる小家畜飼育者たち

先祖は羊飼い

イスラエル人の先祖は、エジプトに行く前、カナン（深紅の染料〔キナフ〕の産地である東地中海沿岸地方を指すが、時代によってその範囲は異なる。旧約ではおおよそ現在のイスラエルと重なる）と呼ばれる土地に住んでいた小家畜飼育者であった。小家畜飼育者とは、羊や山羊を飼育する羊飼いたちのことで、現在でも中近東の諸国の荒野地方で生活している遊牧民の一種である。

　遊牧民は通常、アラビア語のバダウィがなまってベドウィンと呼ばれるが、ラクダを使って砂漠での交易に従事する遊牧民と、小家畜飼育を中心とする遊牧民とに大きく二分することができる。後者を半遊牧民《ノマド》（Halb Nomaden ノマドはギリシア語のノマス「放牧する」に由来する）と呼ぶこともある。ちなみに、ラクダを家畜化するのは、かなり後代になってからで、前二千年紀末、いかに早くとも前一二〇〇年頃であったといわれる(2)。

羊や山羊の行動半径は、ラクダに比べてはるかに小さいから、小家畜飼育者は、農村の周辺部で生活し、雨期と乾期の季節ごとに牧草地の移動を繰り返した。雨の降る雨期には、草の生えている荒野で生活をするが、雨の降らない乾期には、農村の刈り入れ後の田畑に入れさせてもらい、羊たちに切り株や草などを食べさせたのである。

もちろん、これらの行動は自由になされたのではなく、放牧権、あるいは水槽や井戸を使用するための水利権など、契約にもとづいてなされたようである。このような移住をトランスヒュウマンス（transhumance）と名づけているが、小家畜飼育者だけが一方的な恩恵を受けたわけではない。例えば、羊などを刈り入れ後の畑に入れることによって、畑は適当に踏み固められ、地中の水分の蒸発を防ぐことができたし、また、羊などの糞が肥料にもなったのである。その他、互いにその生産物を交換することができた(3)。

アブラハム・イサク・ヤコブ――羊飼いの族長

「創世記」一二章以下には、このような小家畜飼育者の代表としてアブラハム・イサク・ヤコブが登場する。彼らは「族長」（Patriarch）と呼ばれ、その三代にわたる歴史を「族長物語」と名づけている。「族長」というと、部族の首長のように思われがちだが、実際は、家族、せいぜい大家族の長であって、「家長」と訳すべきかも知れない。また、彼らが歴史的に実在したか否かはもはや学問的には確かめようもない。おそらく伝説上の人物と受け取ってしかるべきであろう。

したがって、この物語のなかで語られていることは、まさに「物語」であって、歴史ではない。しかも、後に見るように、物語というよりは「説話」(Sage) というべきものであって、種々の説話群を後代の物語手が、三代にわたる物語に仕上げたものであることは、今や定説になっている。しかし、それらの説話の背後になんらかの事実が見え隠れすることも確かである。今は、「創世記」の記述にしたがって、彼らの「歴史」をたどってみよう。

アブラハムの父テラは、バビロニアのウル出身でユーフラテス川上流にあるハランにいたり、そこで生涯を終えた。アブラハムは七五歳のとき、神の命令にしたがって、ハランを出発して、カナン地方に向かい、シケムをへて、南のネゲブ地方に住むこととなる。飢饉《ききん》のため、アブラハムは一時エジプトに逃れるが、その後ベエル・シェバに戻り、最後にはヘブロンのマクペラに葬られる。彼の生活した所は明らかにカナン南部のヘブロンを中心とした地方である。

アブラハムが一〇〇歳のとき生まれたイサクは、父アブラハムの故郷であるハランから妻リベカを迎えているが、アブラハムと同じくベエル・シェバを中心にした生活を送る。彼も

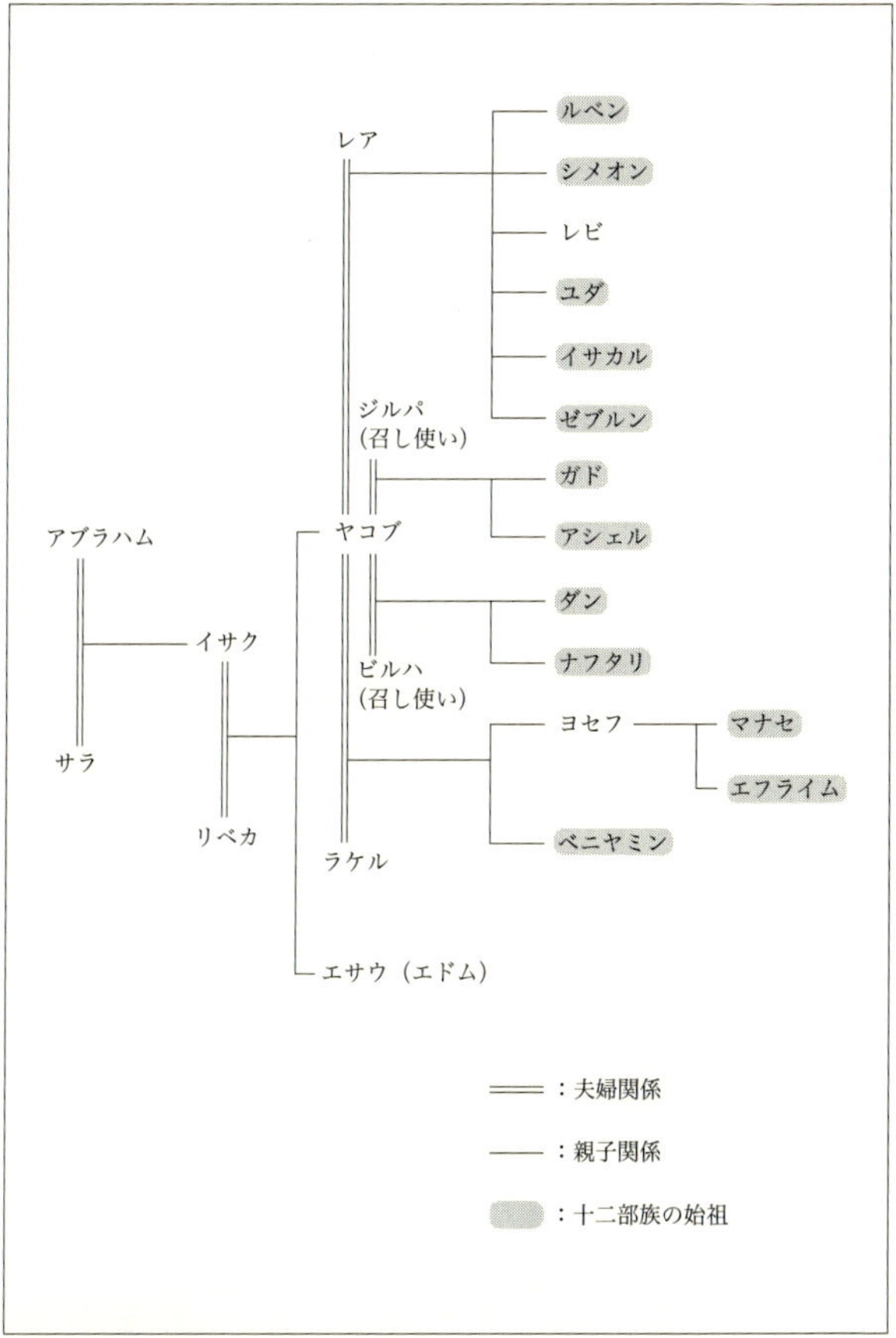
レア
ルベン
シメオン
レビ
ユダ
イサカル
ゼブルン
ジルパ
(召し使い)
ガド
アシェル
アブラハム
ヤコブ
ダン
ナフタリ
イサク
ビルハ
(召し使い)
ヨセフ
マナセ
エフライム
サラ
リベカ
ベニヤミン
ラケル
エサウ（エドム）
：夫婦関係
：親子関係
：十二部族の始祖

族長家系図

また、飢饉の際、北のゲラル地方に避難している。

イサクもなかなか子供に恵まれなかったが、六〇歳のとき双子の兄弟エサウとヤコブを得た。出産のときエサウが先に生まれ、そのあとヤコブがエサウの踵《かかと》（アーケーブ）をつかんで胎内から出てくる。そこで、ヤアコーブと名づけられたという。のちにエサウの長子権をヤコブは策略をもってだましとることになるが、「だます」もまた「アーカブ」といってヤコブの名と関係づけられている。

激怒したエサウの殺意を知った母リベカは、ハランにいる自分の兄ラバンのもとにヤコブを逃れさせる。彼はそこで、一四年間羊飼いとして働き、ラバンの娘レアおよびラケルと結婚し、姉のレアとの間にルベン・シメオン・レビ・ユダ・イサカル・ゼブルンの六人の男子が、妹のラケルとの間にヨセフ・ベニヤミンの二人の男子が生まれる。さらに、レアの召し使いジルパからガドとアシェル、ラケルの召し使いビルハからダンとナフタリ、計一二人の男子が生まれる。

彼らはのちに「イスラエル十二部族」の始祖となる人々である（ただし、レビは部族を形成しなくなり、ヨセフの子供マナセとエフライムとが、それを補うことになる）。一方、エサウは死海の東南に住むエドム人の始祖となる。ハランからカナンに戻ってきたヤコブの生活圏はアブラハムやイサクと異なり、北のベテルやシケムである。

お前の名はヤコブでなく、これからイスラエルと呼ばれる

ヤコブにかかわる伝承は、アブラハムやイサクの伝承に比べて、興味深いものが多く残されており、しかも、その伝承の成立過程はより複雑である。彼らにかかわる伝承がどのようにして成立し、成長していったかを、ヤコブを例にあげて見ておこう。

ヤコブはラバンのもとで一四年間働いたのち、ラバンのところからカナンに逃げ帰るが、その途中のヤボクの渡しで起こった出来事を例として取り上げる。

その夜、ヤコブは起きて、二人の妻と二人の側女《そばめ》、それに十一人の子供を連れてヤボクの渡しを渡った。皆を導いて川を渡らせ、持ち物も渡してしまうと、ヤコブは独り後に残った。そのとき、何者かが夜明けまでヤコブと格闘した。ところが、その人はヤコブに勝てないとみて、ヤコブの腿《もも》の関節を打ったので、格闘をしているうちに腿の関節がはずれた。「もう去らせてくれ。夜が明けてしまうから」とその人は言ったが、ヤコブは答えた。「いいえ、祝福してくださるまでは離しません」。「お前の名は何というのか」とその人が尋ね、「ヤコブです」と答えると、その人は言った。「お前の名はもうヤコブではなく、これからはイスラエルと呼ばれる。お前は神と人と闘って勝ったからだ」。「どうか、あなたのお名前を教えてください」とヤコブが尋ねると、「どうして、わたしの名を尋ねるのか」と言って、ヤコブをその場で祝福した。ヤコブは、「わたしは顔と顔とを合わせて神を見たのに、なお生きている」と言って、その場所をペヌエル（神の顔）と名付けた。ヤコブがペヌエルを過ぎたとき、太陽は彼の上に昇った。ヤコブは腿を痛めて足を引きずっていた。こういうわけで、イスラエルの人々は今でも腿の関節の上にある腰の筋を食べない。かの人がヤコブの腿の関節、つまり腰の筋のところを打ったからである。（「創世記」三二章二三～三三節）

伝承の層

ここには、いくつかの説話が複雑に組み合わされている。それらを解きほぐしながら追ってみよう。この話の中心的かつ、最古の核になっている部分は、ヤボク川の畔《ほとり》にあった聖所ペヌエルの名前の由来に関する聖所伝承である。およそ、聖所の名称の由来は曖昧《あいまい》なものであって、必ずしもヤコブと結びつけて考える必要はない。おそらく、ある人がこの場所でエルに出あっ（て、神の顔を見たにもかかわらず、死ななかっ）たので、その場所がペヌ（顔、パニームの構成形）エル（神の）と名づけられたのであろう。

しかし、ここに登場する神は、「何者かが夜明けまで……格闘した」とか「夜が明けるから、去らせよ」という言葉が示すように、夜だけに活動するデーモンのようなものと想定することができるとすれば、鵺《ぬえ》的な神的存在（ヌーメン）と考えられていたということであろう。

あるいは、この出来事の場所が「ヤボクの渡し」であることを考慮するならば、川に潜むデモーニシュな存在（川の主《ぬし》）であったかもしれない。とすれば、カナンにおいて広く信仰されていたエル神と結びつく以前の（例えば、川の渡しの安全を祈願する祠《ほこら》のような）より古い祭儀にさかのぼる可能性も否定できない。

しかし、いずれにせよ、人格神以前の神的存在ということであろう。したがって、ヤコブと結びつく以前すでに、そのようなヌーメンを祭ったペヌエルの聖所が存在していたと考えてよい。ヤコブがその主人公となったのは、この伝承がヤコブ伝承に組み込まれる第二の段階になってからである。

さらにヤコブに関して、二つの要素が加わる。一つは、ヤコブがイスラエルと名前を変える命名譚（etymology）である。ヤコブがエルと「闘った」（サラー→イスラ）からであるという。もう一つは、イスラエルの人々が腿の関節の上にある腰の筋を食べないという原因譚である。原因譚（etiology）とは、習慣や祭儀の原因や由来を示す説話であるが、ここでは、イスラエルの食習慣あるいは禁忌《タブー》について、ヤコブの足に障害があったことと結びつけて、述べられている。

「腰の筋」とは婉曲的《えんきょくてき》な表現であって、おそらく、性器のことであろうが（したがって、「腿の関節を打った」と訳されている箇所は、「急所を蹴《け》った」とでも訳すべきかもしれない）、もちろん、イスラエル人が食べないのは、人間の性器ではなくて、動物のそれであろう。ヤコブの足の障害については、他に言及がなく、物語手の創作であろう。

ヤコブがイスラエルと改名する命名譚にも、かなりの無理があって、やはり、物語手の作意を見ることができる（この改名譚は「創世記」三五章一〇節以下でも繰り返される）。ヤコブの一二人の子供たちが「イスラエル十二部族」の始祖となったということを先に述べた（四二ページ参照）が、ヤコブからイスラエルへの改名は、彼らの父としてのヤコブとイスラエル部族との関係と深くかかわっているのである。この点については、第三章で触れることにしよう（九六ページ以下参照）。

二つの約束——族長物語からユダヤ全体の歴史へ

話は前後するが、ヤコブが伯父ラバンのもとに逃れていく途中、ルズという所で野宿する。彼は傍らにあった石を枕にして眠ると、夢のなかで、神の使いたちが階段を昇り降りしているのを見、さらに神が彼に向かって「わたしは、あなたの父祖アブラハムの神、イサクの神、主である。あなたが今横たわっているこの土地を、あなたとあなたの子孫に与える」と語る言葉を聞く。

眠りから覚めたヤコブは恐れおののき、「ここは、なんと畏《おそ》れ多い場所だろう。これはまさしく神の家である。そうだ、ここは天の門だ」と言って、枕としていた石の柱を記念碑として立て、先端に油を注いで、その場所をベテル（正確にはベート・エル、神の家）と名づけた（「創世記」二八章一〇節以下）。

これは、「ヤコブの梯子《はしご》」として有名な説話である。しかし、神の使いたちが昇り降りしているのは、バベルの塔についているような煉瓦《れんが》の階段であって、垂直に伸びる梯子ではない。しかも、不思議なことに、神の使いたちはその階段を使って昇り降りしている。その当時の天使には羽根がついていなかった。少なくとも、ついているとは考えられていなかったということである。

ハツォルにあるカナンの神殿と石柱（マッツェバー）

それはともあれ、ここではヤコブが初めてこの場所をベテルと名づけたと書かれている。しかし、「創世記」一二章に、すでにこの地名が言及されているのであるから、アブラハム伝承とのつながりにいささかのほころびを見出すことができる。

しかもそれだけではない。この説話は、先のペヌエルと同様に、元来はヤコブと関係のない、ヤコブよりも古い、ベテルの名称の由来を語る聖所伝承であったに違いない。おそらく、ある人がここで神顕現を体験したので、ベテルと名づけられ、聖所が建てられたに違いない。ヤコブが枕とした石は、おそらく神の像を表す石の柱（マッツェバー）であったのではないだろうか。

もしかすると、ヤコブの時代には、ここはすでに廃墟になっていたのかもしれない。倒れていた石の柱を枕として眠ったから、夢のなかで神が彼に語ったと考えるほうが良いからである。その廃墟をヤコブが聖所として再建したというのかもしれない。いずれにせよ、ここでは、古い伝承がヤコブの伝承として編集者によって改変されているのである。

そのヤコブ伝承が、アブラハム伝承やイサク伝承と結びつけられるときに、さらに大きな改変が加えられるのである。それは、ヤコブに向かって語る神の言葉のなかに見出すことができる。

わたしは、あなたの父祖アブラハムの神、イサクの神、主である。あなたが今横たわっているこの土地を、あなたとあなたの子孫に与える。あなたの子孫は大地の砂粒のように多くなり、西へ、東へ、北へ、南へと広がっていくであろう。地上の氏族はすべて、あなたとあなたの子孫によって祝福に入る。見よ、わたしはあなたと共にいる。あなたがどこへ行っても、わたしはあなたを守り、必ずこの土地に連れ帰る。わたしは、あなたに約束したことを果たすまで決して見捨てない。（「創世記」二八章一三〜一五節）

これを、「族長物語」の冒頭に掲げられている、アブラハムに対する神の出立命令と比較してみよう。

あなたは生まれ故郷、父の家を離れて、わたしが示す地に行きなさい。わたしはあなたを大いなる国民にし、あなたを祝福し、あなたの名を高める。祝福の源となるように。あなたを祝福する人をわたしは祝福し、あなたを呪う者をわたしは呪う。地上の氏族はすべて、あなたによって祝福に入る。（「創世記」一二章一～三節）

「わたしが示す地」は「わたしが与える土地」とほぼ同義語としてもちいられているから、ここでは、土地授与の約束と子孫の増加の約束とが述べられている。そして、「地上の氏族はすべて、あなた（とあなたの子孫）によって祝福に入る」。まさに同じような約束がアブラハムに対しても、ヤコブに対しても述べられているのである。

実は「族長物語」は、この土地と子孫の約束という主題をめぐって、展開していくのである。「族長物語」の編集者が、個々の族長たちの独立していた伝承をまとめるに当たって、導きの糸としたのは、この二つの約束であったといえよう。そして、これらの約束は、重要な場面で繰り返し現れてくる（「創世記」一七章四～八節、一八章一八節、二六章二～五節、三五章一一～一二節、その他）。そして、この約束は、族長物語だけで終わるのではなく、ある意味では、『聖書』全体、さらに、ユダヤ民族の歴史全体にも及んでいるのである。

先送りとなる子孫と土地の約束

上に述べたように、「創世記」一二章から始まる物語群を貫くテーマは「土地の約束」と「子孫の約束」であった。これらが、すんなりとは成就しなかったことについて少し見ておきたい。まず、「子孫」から始めよう。

アブラハムに対する出立命令以前のことであるが、「サライ（サラ）は不妊の女で、子供ができなかった」（「創世記」一一章三〇節）という記述に注目しなければならない。これは、この物語の重要な伏線である。不妊の女性からどのようにして子孫が生まれるのであろうか。物語は冒頭から波瀾《はらん》含みで、まさに「無の状況」から始まる。

アブラハムは、そのような状況のなかで、神の約束にしたがってカナンへと出発したのだが、その後すぐ、一二章では、サラとともにエジプトに行ったとき、彼女を妹と偽《いつわ》り、そのためサラはファラオのハーレムに入れられてしまう。偽りが露顕し彼女は戻されるのだが、ここでは、アブラハムの自分勝手な振る舞いによって、神の約束が反故《ほご》にされそうになる。

次に、子供の与えられない二人は、ダマスコのエリエゼルを養子に迎えようとするが、神はアブラハムを外に連れ出し、「天を仰いで、星を数えることができるなら、数えてみるがよい。あなたの子孫はこのようになる」と約束する（同一五章）。しかし、依然として子供の生まれないサラは、自分の代わりにエジプト人の女奴隷ハガルをアブラハムの側女とすると、彼女はイシュマエルを産む。彼は後にイシュマエル民族の祖となった。しかし、このイシュマエルは厳密に言って実子ではない。

　そして最後に、アブラハムが一〇〇歳になったとき、ようやく実子イサクが誕生するのである（同二一章）。この物語には、誕生の予告を告げる三人の訪問客とアブラハムのやりとりをテントの陰で聞いていたサラが「笑った」（ツァハク）ため、子供の名前がイツハク（イサク）となったという話がついている（同一八章）。ここで、ようやく約束が成就したかと思われるのだが、その独り子のイサクをいけにえとして捧げよという神の命令が下される（同二二章）。

イサクを神に捧げるアブラハム（レンブラント、1635年、エルミタージュ美術館）

　このように見てくると、成就にいたるまでには、人間の側の違反や不信仰にとどまらず、神の不条理ともいえる試練もあって、そのような紆《う》余曲折《よきょくせつ》を経て、子孫が増加していくのである。しかも、われわれは、この物語の背後に、不妊―養子―側女の子―実子―奉献命令という、「無の状況」から始まって「無の状況」で終わらせることのできる神の力と、それにもかかわらず、イサクの救済でもって約束を成就する神の業《わざ》についての、編集者の神学的な展開を読み取ることができるのである。

では、「土地の約束」はどうだろうか。これもまた、簡単には成就しない。カナンに入ったアブラハムは、すぐに飢饉《ききん》のためにエジプトに逃れているし、そもそも小家畜飼育者はカナンに定住することはなかったのである。しかし、妻サラが死んだとき、彼女を葬るための墓地をヘト人から買い求めた。ヘブロンにあるマクペラの洞穴であるが、それが、唯一アブラハムが手に入れた土地であった（同二三章）。

この時点で、土地の約束は成就したかに見えたが、結局はヤコブの時代になって、ヤコブの一族はすべてエジプトに行くことになってしまった。つまり、約束は一時ペンディングになるのである。このように「土地の約束」も素直に成就することはなく、先送りになっていく。このような視点は、おそらく編集者のものであろう。

それ以前の伝承の段階では、「マクペラの洞穴」の購入でもって、アブラハムに対する土地の約束は成就したものと考えられていたに違いない。しかし、後代の編集者にとって、約束の土地は、単に「マクペラの洞穴」という一画ではなく、カナン全体がその視野に収められていくのである。つまり、後に述べるように、出エジプト後のカナンの土地取得、さらにはバビロン捕囚後のカナンへの帰還と結びつけられていくのである。

族長と結びついた宗教――アブラハムの神、イサクの神、ヤコブの神

さて、先にヤコブの伝承のなかから二つの聖所伝承をあげたが、両者ともに聖所の名称がエルと結びついている（ペヌ・エル、ベート・エル）。このエルは、カナンにおいて崇拝されていた神であった。このような神と族長との結びつきは、先にも述べたように二次的なものであり、おそらく小家畜飼育者であった族長たちがカナンに定着し、耕作を営みはじめたとき、彼ら以前に存在していた聖所を自分たちの聖所として受け継いだ後であったろう。

では、カナンの神々と結びつく以前の族長たちが礼拝していた神はいかなる神であったのだろうか。「族長物語」に登場する神は、通常「主」という名前である。例えば、「族長物語」の冒頭に、「主はアブラム（アブラハムのこと）に言われた」とあり、さらに、顕現した主のためにアブラハムが「祭壇を築き、主の御名を呼んだ」と書かれている（「創世記」一二章一、八節）。しかし、この「主」については、次章でくわしく取り上げるが（六八ページ以下）、実は、族長よりもさらに後代のモーセ時代になってから登場する神である。

その他に言及されている神は、「アブラハムの神、イサクの神、ヤコブの神」という族長の名と結びついた神名である。単独の族長と結びつく場合もあれば、上の例のように組み合わさって呼ばれることもある。また、必ずしも、表現の仕方が一定しているわけでもない。「わたしは、あなたの父アブラハムの神」（「創世記」二六章二四節）「わたしは、あなたの父祖アブラハムの神、イサクの神、主である」（同二八章一三節）という呼び方もあれば、

「わたしの父の神、アブラハムの神」(同三一章四二節)「わたしの父アブラハムの神、わたしの父イサクの神、主よ」(同三二章一〇節。二八章一三節と似ているようであるが、語順が違っていて「わたしの父の神アブラハム、わたしの父の神イサク」となっている)「わたしはあなたの父の神である。アブラハムの神、イサクの神、ヤコブの神である」(「出エジプト記」三章六節)「あなたたちの先祖の神、アブラハムの神、イサクの神、ヤコブの神である主」(同三章一五節)「あなたたちの先祖の神、アブラハム、イサク、ヤコブの神である主」(同三章一六節)などがある。

その他、ヤコブにかわって「イスラエルの神」がもちいられる場合もある(「列王記」上一八章三六節、「歴代誌」上二九章一八節、下三〇章六節)。「ヤコブの神」から「イスラエルの神」への移行は、明らかに、後のいわゆる「部族連合時代」を反映しており、新しい表象と見なすべきであろう。

他にも、「わたしは神、あなたの父の神」(「創世記」四六章三節)「あなたたちの神、あなたたちの父の神」(同四三章二三節)などの呼称もあって、そこから、「アブラハムの神」という呼称以前に「わたしの父の神」という呼称の神が族長の神であったのではないかという意見もあるが、ここではくわしく取り上げない(4)。

また、その他にも、「神」という表現ではなく、「アブラ(ハ)ムの盾《マゲーン》」(「創世記」一五章一節)や「イサクの畏《おそ》れ敬う方《パハド》」(同三一章四二、五三節)あるいは「ヤコブの勇者《アビール》」(同四九章二四節）という形で神を呼ぶ表現も出てくる。

しかし、「イサクの畏れ敬う方」を除いて、例えば「盾」という表現は、「主はあなたを助ける盾、剣が襲うときのあなたの力」（「申命記」三三章二九節）にも明らかなように、あくまでも武器としての盾であって、小家畜飼育者にはふさわしくない語である。また「ヤコブの勇者」も、他にはかなり後代の書に出てくるのみである。例えば、「詩編」一三二章二、五節はダビデとの関連で出てくる（その他、「イザヤ書」一章二四節、四九章二六節、六〇章一六節）。したがって、これらの神の呼称が古いものであるかどうかは、疑問の余地がある。

どれが最古の呼称か

上述したところから、「アブラハムの神」「わたしの父の神」「アブラハムの盾」、その他のものも含めて、これらの呼称のなかで、どれが最古のものなのか、もはや決定することは困難である。ただ明らかなことは、「アブラハムの神」が族長アブラハムという個人に顕現した神であって、場所と結びついてはいないということである。その他の族長の場合も同じである。

たしかに、族長物語には、神が顕現した場所の記述がある。アブラハムとマムレ（「創世記」一八章）、イサクとベエル・シェバ（同二六章）、ヤコブと西ヨルダンではベテル（同二八章一一節以下、三一章一三節、三五章七、一五節)、東ヨルダンではマハナイム(同三二章二節以下)、ペヌエル(同三二章二五節以下)、スコト(同三三章一七節)がそうである。

しかし、これらの聖所で語られる神の言葉は、ほとんど例外なく「子孫の約束」と、とりわけ「土地の約束」である。これに留意するならば、これらの聖所との結びつきは、小家畜飼育者たちがカナンと密接な関係をもつようになってから後のことである点については、疑いないであろう。

しかし、これらの事実は、残念ながら彼らの信仰していた宗教の実態をほとんど明らかにしない。唯一の例外は「創世記」一五章九〜一八節の犠牲に関する記述である。

主は言われた。

「三歳の雌牛と、三歳の雌山羊と、三歳の雄羊と、山鳩と、鳩の雛《ひな》とをわたしのもとに持って来なさい」。

アブラムはそれらのものをみな持って来て、真っ二つに切り裂き、それぞれを互いに向かい合わせて置いた。ただ、鳥は切り裂かなかった。禿鷹《はげたか》がこれらの死体をねらって降りて来ると、アブラムは追い払った。

日が沈みかけたころ、アブラムは深い眠りに襲われた。すると、恐ろしい大いなる暗黒が彼に臨んだ。

……日が沈み、暗闇に覆われたころ、突然、煙を吐く炉と燃える松明《たいまつ》が二つに裂かれた動物の間を通り過ぎた。その日、主はアブラムと契約を結んで言われた。

これは、おそらく契約締結の際の原初的な祭儀形態を示しているかもしれない。動物を二つに切り裂いて並べて置くのは、契約不履行の場合にはこのようになるぞということを示すためのものであるからである。動物犠牲は小家畜飼育者の生活にとってはごく普通のものであったろうし、ここには、農耕祭儀との結びつきを示す要素は見いだせないから、族長たちの宗教形態の一部を提示していると考えてもよいであろう。

水先案内としての「神の箱」

先に述べたように、小家畜飼育者は季節ごとに、牧草地を交替しながら移動する集団であった。したがって、それと対応して、小家畜飼育者として荒野を遊牧する族長たちの神も、その族長たちの生活形態と軌を一にして、場所的な結びつきを持たず、最初から移住をともにする神であった可能性は十分に考えられる。族長物語には登場しないが、後に出てくる「神の箱」の存在が、このような性格をよく示している。「民数記」一〇章三三節以下には、次のような記述がある。

主の契約の箱はこの三日の道のりを彼らの先頭に進み、彼らの休む場所を探した。彼らが宿営を旅立つとき、昼は主の雲が彼らの上にあった。主の箱が出発するとき、モーセはこう言った。
「主よ、立ち上がってください。
あなたの敵は散らされ
あなたを憎む者は御前から逃げ去りますように」。
その箱がとどまるときには、こう言った。
「主よ、帰って来てください
イスラエルの幾千幾万の民のもとに」。

この歌は、出エジプト後の異邦の国々への行進という現在の文脈のなかでは、(「敵は散らされ」という) 戦いの状況を背景に持っている。しかし、「立ち上がってください」と「帰って来てください」(これは「休んでください」とも訳すことができる) という基本的な語を取り出すならば、これは、移動集団が宿営地を出発ないし宿泊するときの号令と考えることができる。箱は集団の先頭に立ち、宿営する場所を求めて、水先案内のように集団を導いて行くのである。

遊牧民とともに移動する神

もう一つの例を示しておこう。イスラエルの民がエジプトから脱出するときのことを記念して、今日でももっとも重要な祭りとして祝われる「過越祭《すぎこしさい》」の起源を語る「出エジプト記」一二章三～一一節の記述である。

今月の十日、人はそれぞれ父の家ごとに、すなわち家族ごとに小羊を一匹用意しなければならない。……その小羊は、傷のない一歳の雄でなければならない。用意するのは羊でも山羊でもよい。それは、この月の十四日まで取り分けておき、イスラエルの共同体の会衆が皆で夕暮れにそれを屠《ほふ》り、その血を取って、小羊を食べる家の入り口の二本の柱と鴨《かも》居《い》に塗る。そしてその夜、肉を火で焼いて食べる。また、酵母を入れないパンを苦菜を添えて食べる。肉は生で食べたり、煮て食べてはならない。必ず、頭も四肢も内臓も切り離さずに火で焼かねばならない。それを翌朝まで残しておいてはならない。翌朝まで残った場合には、焼却する。それを食べるときは、腰帯を締め、靴を履《は》き、杖《つえ》を手にし、急いで食べる。これが主の過越である。

「過越」という出来事は、神がエジプトに下した一〇の災いの最後のものである。神はエジプトにいるイスラエルの民を救うために、天幕の入り口の柱に小羊の血を塗っておくように命じる。その血を見た神の使いが、その天幕の上を通り過ごすというのである。

現在この話は、出エジプトの物語の文脈のなかに組み込まれているが、本来的には、おそらく小家畜飼育者の習慣にさかのぼるものである。彼らが新たな牧草地を求めて、荒野に向けて出発しようとするとき、荒野での安全を願う呪《まじな》い的な要素をこの話は含んでいる。「腰帯を締め、靴を履き、杖を手にし、急いで食べる」というのは、旅立ちの様子を如実に示しているし、「酵母を入れないパン」は、農耕生活の反映とも受け取れないことはないが、荒野での保存食と考えることもできる。また、荒野にはデーモンがすんでいると考えられていたから、天幕に血を塗る習慣は、荒野での魔除けの意味を持っているであろう。

このように、荒野での小家畜飼育者の生活は危険と隣り合わせであったと言えよう。したがって、新たな牧草地へ向かう道中での安全や外敵からの保護を求める気持ちは、農耕生活者とは異なるものであったに違いない。

それゆえ、族長たちが礼拝した神は、元来場所と結びつかない導きの神であり、遊牧民とともにある場所から、ある場所へと、羊、山羊の小家畜を連れた牧羊者と同じように移動し、神のアウラ（流動体）のように氏族ないし家族あるいは個人をとりまき（「わたしはあなたと共にいる。あなたがどこへ行っても、わたしはあなたを守り、必ずこの土地に連れ帰る。わたしは、あなたに約束したことを果たすまで決して見捨てない」「創世記」二八章一五節）、飢え渇きから守ってくれ（「神がわたしと共におられ、わたしが歩むこの旅路を守り、食べ物、着る物を与え、無事に父の家に帰らせてくださり、主がわたしの神となられるなら……」同二八章二〇節）、また、外敵（ファラオ、同一二章一〇節以下、アビメレク、同二〇章一節以下、ラバン、エサウ、同三一章以下）から守り、特別な配慮を与える（同二四章一二節、二七章二〇節）。

そして、神は昼（同一八章一節）あるいは夜に（同二六章二四節、二八章一〇節以下）、耳を通して（同一二章一節）、幻を通して（同一五章一節）いたるところで自分の意志を族長たちに告知する。

ここで重要なことは、神の言葉の内容が「命令か約束」であることである。大抵の場合この二つが一つに結びついている（同一二章一節、二六章二四節、二八章一三節、三五章一一節、四六章三節）。そのことは族長の神が人間の服従を要求することを意味するが、それは決して専制的な意志ではなく、救いに導こうとするものであり、人間の信頼を要求するものである。

この信頼は族長宗教の敬虔性《けいけん》とかかわる。信頼、服従つまり族長神とその信奉者の間の連帯意識が、族長宗教の敬虔性を形成するのである。信頼は、体験を通して自分たちが善い方向へと導かれていることを知るがゆえに、生じる。つまり、信頼は、神とともに体験したことに対する応答である。例えば、良い牧草地とか、家畜の増加とかの物質的な繁栄を与えられたことを通して、信頼が確かめられるのである。服従は、この信頼の上に立ち、命令で語られる神の言葉に対する応答である。

この信頼と服従の関係が契約として表現されるが、その具体的表現の一つが、犠牲、会食である（「出エジプト記」二四章一一節）。動物の真の所有者である牧羊者の神との会食は、神がつねにいますという感情の現れであり、それによって神と信奉者との連帯感がますます強められるのである。神を「父」と呼ぶ表象は、密接な連帯感を示すものであろう。

しかし、いかに密接な連帯感であったにしても、それが契約関係としてとらえられるとき、信頼を寄せるべき神はもはや家族の神としてではなく、家族を越えた社会的な存在として意識されるようになるのである。「ヤコブの神」から「イスラエルの神」への移行は、そのような神観の変化を示している。この点については、次章でくわしく論じることにする。

遊牧民の憧れ——農民・都市民との葛藤

アブラハム、イサク、ヤコブの三人の族長たちの説話のなかで、ヤコブに関する説話がもっとも多く、しかも面白い。おそらく後代の編集者にとって、彼がもっとも興味深い存在だったからではなかろうか。しかし、それにもまして、ヤコブが、後の十二部族の始祖たちの父であり、彼が後に「イスラエル」と改名したということと深いかかわりをもつであろう。

本章のはじめにあげた「申命記」二六章の「信仰告白」の冒頭に述べられている「放浪の

一アラム人」とは、実は、このヤコブを指すのである。新共同訳では「滅びゆく一アラム人」となっている。原語はどちらの意味にも解釈できるから、「滅びゆく」が誤訳というわけではないのだが、ここでは「口語訳」にしたがって、「放浪」と訳しておく。「放浪」という言葉のなかに、彼らの生活の不安定さをうかがい知ることができる。先にも述べたように、彼らは農村部の周縁に住みながら、定期的な移動をしていたのであるから、必ずしも、「彷徨《さまよ》い歩いていた」のではない。

しかし、土地の約束や子孫の約束への執着が、安定への憧れを示していることは明らかである。とはいえ、その不安定さは単に土地がないということだけではなくして、農村や都市との葛藤《かっとう》のなかに見られることが多い。例を示そう。

飢饉のため、アブラハムがエジプトに逃れた話が「創世記」一二章に出てくる。エジプトに入ろうとしたとき、自分の妻サラにむかって、「エジプト人があなたを見たら、『この女はあの男の妻だ』と言って、わたしを殺し、あなたを生かしておくにちがいない。どうか、わたしの妹だ、と言ってください。そうすれば、わたしはあなたのゆえに幸いになり、あなたのお陰で命も助かるだろう」と偽りを言うように説得している。この物語の背後には、町の人は何をするかわからないという不信感が隠されているといってもよいだろう。

これと似た話が、アブラハムがゲラルの町に行ったとき（「創世記」二〇章）と、イサクがゲラルに行ったとき（「創世記」二六章）と三度も繰り返されている。このような繰り返しは、彼らの町の住民に対する不安感や不信感を如実に示すものである。もちろん、この繰り返しには、編集者の神学的な意図もある（五〇ページ以下参照）。

ヨセフ物語

ヤコブには一二人の子供があった。そのうち彼がもっとも愛したのが、愛妻ラケルが産んだヨセフであった。ただこのヨセフは自分の頭のよさ（夢を解く能力）を自慢したために、他の兄弟たちからうとまれ、ある時、奴隷として売られてしまう。

最初、エジプトの宮廷の役人ポティファルの奴隷となるが、そこで持ち前の能力を発揮して、家の執事として、その管理をゆだねられる。ポティファルの妻がある日ヨセフを誘惑するが、ヨセフはその手を逃れる。ただ、その時、彼は自分の衣服をポティファルの妻の手に残したままだったため、彼女はそれを証拠として、「ヨセフがわたしに言い寄った」と夫に偽りを述べ、ヨセフを牢に入れさせてしまう。

何年かして、その牢にファラオの機嫌をそこねた役人が二人入ってくる。その二人の見た夢をヨセフは解いてやる。彼の夢解きのとおり、一人は処刑され、一人は許され、もとの職務に戻ることができる。

また、何年かして、今度はファラオが二度夢を見る。最初の夢は、よく肥えた七頭の牛がナイル川から上がってきて、草を食べていると、やせた七頭の牛が上がってきて、肥えた牛を食べてしまったというものだった。次の夢は、よく実の入った七つの穂が、東風でやせ細った七つの穂に呑み込まれてしまうものだった。

エジプト中の魔術師と賢者が呼び寄せられるが、誰もその夢を解くことができない。先の役人がヨセフのことを思い出し、ヨセフはファラオのもとに呼び出される。彼は、その夢が七年の豊作のあとに七年の凶作のくることを意味すると告げる。そこでファラオはヨセフを農業大臣に任命する。ここまでは、ヨセフの出世物語である。

一方、彼の一一人の兄弟たちと父親のヤコブはどうなっただろうか。兄弟たちは、ヤコブにヨセフがライオンに殺されたと偽りの報告をする。ヤコブはヨセフが死んだものと思っているが、兄弟たちも彼がまさかエジプトで農業大臣になっているとは思いも寄らない。

何年かして、カナン地方に飢饉がやってくる。食料のなくなったヤコブは、エジプトに行き食料を手に入れてくるよう、子供たちに命じる。穀物を買いにきた兄弟たちを見て、ヨセフは直ちに、彼らが自分の兄弟であることを見抜くが、兄弟たちには自分の身分を明かさず、彼らをスパイ容疑で逮捕する。そして、一人を人質にして、その時参加していなかった自分の弟のベニヤミンを連れてくるように命じる（ベニヤミンは、ヤコブが最も愛したラケルの子で、ヨセフの失踪後、ヤコブはベニヤミンを手放したくなかった）。

カナンに持ちかえった食料もまたもや尽き、再びエジプトに行かざるをえなくなった彼らは、しぶるヤコブを説得して、今度はベニヤミンを連れて、ヨセフの前に現れる。事情のよくわからないまま、食事の席に招かれ、ヨセフとともに食事をする。穀物を買い入れた彼らが帰途につくとき、ヨセフはベニヤミンの袋のなかに、彼が愛用していた銀の杯《さかずき》を隠しておく。

彼らが途中までくると、ヨセフの執事が追いかけてきて、袋の点検をおこない、ベニヤミンの袋のなかから杯を発見し、彼を奴隷にすると告げる。驚いた彼らはまたヨセフの家に連れ戻されるが、詮議《せんぎ》の席上で我慢しきれなくなったヨセフは、自分のことを打ち明けるのである。ここで彼らは涙の再会をする。その後、ヤコブもエジプトに呼び寄せられ、彼らはエジプトのゴシェン地方に住むこととなる。以上がヨセフと兄弟たちの再会物語である。

この物語は、「創世記」三七章から五〇章にいたる（三八章は除く）実に長い物語である。短い説話を集めたアブラハムなどの「族長物語」とは異なり、完全な「物語」、しかも「長編物語」といってよいほどのものである。さらに、主人公はあくまでもヨセフであって、神ではない。

族長物語では神は直接族長たちに語りかけるのだが、ここでは、神はほとんど登場しない。たまに「主がヨセフと共におられ、ヨセフがすることを主がうまく計《はか》らわれた」（「創世記」三九章二三節）と述べるのみである。これは、まさに「知慧文学」（「ヨブ記」「箴言」「コヘレトの言葉」など人間の経験・知恵をもとにして成立した文学）に属するものである。したがって、ここには、「アブラハムの神、イサクの神、ヤコブの神」という表現はほとんど出てこない。

ただし、ヤコブがエジプトに旅立つとき、ベエル・シェバで父イサクの神にいけにえをささげると、神は「わたしは神、あなたの父の神である。エジプトへ下ることを恐れてはならない。わたしはあなたをそこで大いなる国民にする。わたしがあなたと共にエジプトへ下り、わたしがあなたを必ず連れ戻す。ヨセフがあなたのまぶたを閉じてくれるであろう」と述べている（同四六章三〜四節）。

この言葉は、ヤコブの遺体がアブラハムの葬られているマクペラの洞穴に将来埋められることをも意味しているのであるが、実際は、あの編集者の「土地の約束と子孫の約束」というキーワードを示すものに他ならないのである（同四八章三節以下も参照）。

さて、最後の「ヨセフ物語」を除いて、族長伝承はすべて短いものであり、それらが「土地の約束」と「子孫の約束」を軸として巧みにつなぎ合わせられて、ひとつの「族長物語」を形成したのである。こうした彼らが信じた神は、「アブラハムの神」「アブラハムの盾」などの呼称で呼ばれていたが、小家畜飼育者の神として、場所とは結びつかず、彼らを守護し、導く神であった。これがイスラエルの民に最初に現れた神の姿だったのである。

第二章　解放する神――エジプト・奴隷生活からの脱出

奴隷となったイスラエルの民

テキストを「創世記」から「出エジプト記」に移そう。エジプトに行ったヤコブの子孫たちはやがて奴隷状態に陥る。そこで神がモーセに現れ、「わたしはヤハウェである」と自分の名前を顕わにして、民の救済を約束する。この神の名「ヤハウェ」を、イスラエルの民のエジプト脱出とのかかわりのなかで考察していこう。

エジプトに行ったヤコブたちは、エジプトの東にあるゴシェンの地に住み、その子孫たちの数が増加したと言われているが（「創世記」四七章二七節）、その後彼らはどうなったのであろうか。「創世記」に続く「出エジプト記」に入ると、ヨセフのことを知らない王の時代が始まる。イスラエルの人々は新しい都市の建設のための強制労働に駆り出され、奴隷状態に陥っていた。このような急激な状況の変化はどのように生起したのであろうか。ここで簡単にエジプトの歴史に触れておくのがよいであろう。

古代エジプトの歴史

エジプトの歴史はナイル用水の灌漑《かんがい》化とともに進展していったといっても過言ではない。ナイル川は毎年増水期（七月以降）には上流から肥沃《ひよく》な土砂を運んできた。人々はこの水を灌漑によって田畑に引き込み、増水期が終わるころに種をまいたのである。この灌漑をおこなう小集落がナイル川沿いにいくつかの部族国家（ノモス）として成立していった。灌漑は個人の力のみでは不可能であり、共同作業を必要とするからである。

これらのノモスが時代をへるにしたがって統合され、そして、最終的にナイル川上流のテーベを中心とする上エジプトと下流のメンフィスを中心とする下エジプトの両国に統合されていったが、伝承によれば、その両国を統一したのはメネス王だとされている。およそ前三〇〇〇年の頃である。

ところで、それぞれのノモスは、牛、カバ、ワニ、犬、鷹、トキ、コブラなどをシンボルとする動物神を崇拝していた。しかし、これらの動物神は、ノモスが統合されるにしたがって、消滅したり、同一視されていった。

例えば、先に言及したメネス王と従来同定されてきたナルメル王の化粧板（眼元にもちいる化粧顔料をすりつぶすための石版＝七〇ページ写真参照）には、上エジプトの王冠を被ったナルメル王が、下エジプトの沼地の首領を打ち殺そうとしており、その横には、下エジプトのシンボルであるパピルスの上に止まった鷹（ホルス神）が描かれている。裏面には、下

ナルメル王の化粧板（高さ64cm、前3000年頃、カイロ美術館）

エジプトの王冠をかぶったナルメル王が凱旋する様子が描かれている。

鷹で表されるホルス神は、最初はナルメル王が統治していたヒエラコンポリスという町の守護神でしかなかったのであるが、後には、国家神となったのである。また、下エジプトの中心地メンフィスではプト神（蛇）が崇拝されていたため、下エジプトの王冠には、パピルスと蛇とがあしらわれている。

したがって、上下エジプトの統一後の王冠は、この両者の王冠が合体していて、世界創造の主神とみなされたアトゥム神はこの合体した王冠をかぶっている。ちなみに、王冠と神々のシンボルとが一体化していることは、王と神とが同一視されていたことを明らかに示している。王は神の生まれかわりであり、絶対的な権力をもっていたのである。このような権力の下で、あのピラミッドやカルナック神殿のような巨大な建造物が建設されていったのである。

このような絶対的な権力をもつファラオ（「大きな家《ペルオー》」というエジプト語のギリシア語音訳）の統治は、先に述べたように、メソポタミアと同様、およそ前三〇〇〇年に始まるが、エジプトの歴史は、前三三二年アレクサンドロス大王によって征服され、彼の死後プトレマイオス王朝が成立するまで、古王国（前二九～前二三世紀）、中王国（前二一～前一八世紀）、新王国（前一六～前一一世紀）、それ以後の王国時代と大きく四分するのが、通例である。

さて、最初の古王国のなかでさんぜんと輝くのは、第三～第四王朝（前二六～前二五世紀）時代である。現在もギーザなどに残る、世界的文化遺産のピラミッドが集中的に建造されたのはこの時代である（ちなみに、王朝は古王国の第一王朝から始めて、プトレマイオス王朝の前の第三〇王朝まで通算するのが歴史学的な習わしである）。

各王国は連続しておらず、その間には中間期と呼び習わしている時代が介在する。さて、われわれの族長にとって最もかかわりのあるのは、第二中間期と新王国時代である。前者はヒクソス時代とも呼ばれるが、ヒクソスとは「異国の支配者」を表す言葉であり、おそらくセム人、アーリア人たちの混成集団がパレスチナを経て侵入し、デルタ地帯の東のアヴァリスを都としてエジプトを支配した時代である。

このヒクソス民族をエジプトから追放したのが、新王国の基礎をつくった第一八王朝の始祖アハメス（前一五七〇～前一五四六）であり、彼によって、いわゆる帝国時代が始まったのである。

古代エジプトの宗教

ここで、エジプトの宗教について見ておこう。古王国時代の主神はホルスであり、そのシンボルは鷹であったが、その眼は丸く描かれ、太陽を象徴した。そのホルス神がメンフィスに近いオン（ギリシア名はヘリオポリス、まさに「太陽の町」の意である。「創世記」四一章四五節参照）の太陽神ラーと習合（折衷）し、古王国末期には、太陽神ラーの神官たちの影響の下に、王は太陽神ラーと王母との間に生まれた子として神格化されたのであった。

しかし、その後ナイル川中流のテーベが王国の中心地となり、そのアメン神とラー神とが同一視され、アメン・ラーの神官たちの勢力が強大となり、彼らは王廷の祭祀《さいし》をつかさどるのみならず、広大な荘園の所有者となっていったのである。

ちなみに、太陽はホルス神の眼であるばかりでなく、空の牝牛女神ハトホルが毎日生み出す子牛でもあり、聖虫スカラベが毎日ころがす球であるとも考えられ、空を船で横切り、夜には地下の川を通って東に戻るとも考えられていた。このような太陽が崇拝されたことは、一神教への傾向を示すものであった。

このような政治・宗教を背景として、太陽一神教を確立しようとしたのが、アメン・ヘテプ（アメノフィスというギリシア名のほうがなじみ深いかもしれない）四世（前一三七〇頃〜前一三五三）である。(1)

彼はみずから「アメンは満足している」という意味のアメン・ヘテプから、「アテンに益

太陽神アテンを礼拝するアクン・アテンとその妃ネフェルティティ（カイロ美術館）

となる者」という意味のアクン・アテン（イクナトン）に王名を変更し、権勢をほこっていたアメンの祭司たちを追放し、アメン崇拝を禁止したのである。さらにアメン信仰の中心地であったテーベから、テーベとメンフィスの中間に都を移し、アケト・アテン（アテンの地平線）と名づけたのである。

その子が、あのトゥト・アンク・アメン（ツタンカーメン）である。彼の名アメンが示すように、彼はアメン神信仰に戻ったと思われる。かくしてアケト・アテンは時の経過とともに捨てられてしまい、都のあったことさえ忘れ去られてしまっていたが、一八八七年、一農婦が耕作中に楔形《くさびがた》文書（前一四世紀の西アジアの公用語アッカド語で書かれている）を多数発見し、ここに都の存在していたことが判明したのである。

この地域の現代名アマルナにちなんで、この時代をアマルナ時代、またその文化をアマルナ文化と呼んでいる。このことについては、第三章でも触れよう（一〇七ページ参照）。

前一三一〇年から第一九王朝が始まるが、この時代が、この章で述べる出来事と最も関係があるのである。

モーセの誕生

前章で述べたヨセフ物語になんらかの歴史的背景があるとすれば、パレスチナからやって来たヨセフが農業大臣になりうる可能性をもつのは、おそらく先に述べたヒクソス時代をおいてないであろう。そして、「ヨセフを知らない王」とは、ヒクソス時代からはるかに遠ざかった時代と想定できる。

ヒクソス民族は、アハメス王によって追放されたのであるが、民族全体が追放されたのではなく、その大部分は奴隷あるいは季節労働者としてエジプトに残留したと考えられる。もっとも、アブラハムのエジプト下りや、イサクの南下の話から想像すれば、ヒクソス時代以前からパレスチナの住民が飢饉などを契機としてエジプトに行き、そこに定着するようになったことは、十分に考えられる。

エジプトで奴隷化したイスラエルの民が、ファラオの町ピトムとラメセスの建設に駆り出されたという記述(「出エジプト記」一章一一節以下)から、「ヨセフを知らない新しい王」は、ラーメス(ラメセス)二世(前一二九〇~前一二二四)であるというのが、現在の定説である。そして、この王の時代にイスラエルの民のエジプト脱出の出来事が起こるのである

レンガ作りに駆り出された奴隷たち（テーベ）

が、それを指導したのが、『聖書』の伝承によれば、モーセであった。「出エジプト記」は、このモーセを中心にして語られていく。

モーセが生まれた当時、イスラエルの民の数があまりにも増加するので、ファラオはその数を抑えるための政策として、男子殺害の命令を下す。モーセの母は、かわいい息子を殺すことができず、パピルスで編んだ箱に入れて、ナイル河畔《かはん》の葦《あし》の茂みに置いておくと、たまたま水浴びに来ていたファラオの王女が彼を拾い上げ、宮廷で育てることとした。

王女は彼を「モーセ」と名づけた。『聖書』はモーセの名を「水の中からわたしが引き上げた（マーシャー）」ということと結びつけているが、これは後からできた単なる語呂合わせであるにすぎない。さきほど、アハメス、ラーメスなど何人かのファラオの名をあげたが、メスは「息子」もしくは「生む」の意をもつ単語である。

したがって、例えば、ラーメスは太陽神ラーの生んだ者、ラーの息子を意味する。トトメスは知慧の神トトの息子である。エジプトでは、ファラオは神の子と考えられていたから、このような神の名にあやかった名前がつけられたのである。それゆえ、モーセの名もまた「息子」「生む」とのかかわりを持っていたに違いない。彼はファラオの宮廷で育てられたからである。しかし、不思議なことに、モーセにはあやかるべき神の名がつけられていない。

成人したモーセはあるとき、イスラエル人が強制労働させられている現場で、エジプト人の監督が彼の同胞であるイスラエル人を打つのを見て激高し、その監督を殺害してしまう。彼はそこでエジプトから遠く離れたミディアンに逃れる。そして、その地の祭司レウエル(別の伝承ではエトロ)の羊飼いとなって時を過ごすのである。

モーセにあらわれた神

あるとき、彼が羊を連れて、神の山ホレブ(シナイ)に来たとき、彼は、燃え尽きない柴の間に立つ神の声を聞く。

「わたしは、エジプトにいるわたしの民の苦しみをつぶさに見、追い使う者のゆえに叫ぶ彼らの叫び声を聞き、その痛みを知った。それゆえ、わたしは降って行き、エジプト人の手から彼らを救い出し、この国から、広々としたすばらしい土地、乳と蜜の流れる土地、カナン人、ヘト人、アモリ人、ペリジ人、ヒビ人、エブス人の住む所へ彼らを導き上る。見よ、イスラエルの人々の叫び声が、今、わたしのもとに届いた。また、エジプト人が彼らを圧迫する有様を見た。今、行きなさい。わたしはあなたをファラオのもとに遣《つか》わす。わが民イスラエルの人々をエジプトから連れ出すのだ」。

モーセは神に言った。「わたしは何者でしょう。どうして、ファラオのもとに行き、しかもイスラエルの人々をエジプトから導き出さねばならないのですか」。

神は言われた。「わたしは必ずあなたと共にいる。このことこそ、わたしがあなたを遣わするしである。あなたが民をエジプトから導き出したとき、あなたたちはこの山で神に仕える」。

モーセは神に尋ねた。

「わたしは、今、イスラエルの人々のところへ参ります。彼らに、『あなたたちの先祖の神が、わたしをここに遣わされたのです』と言えば、彼らは、『その名は一体何か』と問うにちがいありません。彼らに何と答えるべきでしょうか」。

神はモーセに、「わたしはある。わたしはあるという者だ」と言われ、また、「イスラエルの人々にこう言うがよい。『わたしはある』という方がわたしをあなたたちに遣わされたのだと」。神は、更に続けてモーセに命じられた。

「イスラエルの人々にこう言うがよい。あなたたちの先祖の神、アブラハムの神、イサクの神、ヤコブの神である主がわたしをあなたたちのもとに遣わされた。

これこそ、とこしえにわたしの名

これこそ、世々にわたしの呼び名」。(「出エジプト記」三章七〜一五節)

私はある

モーセがここで神の名を問うと、神は「わたしはある。わたしはあるという者だ」と答えている。新共同訳は、二つの文に分けて訳しているが、口語訳は「わたしは、有って有る者」となっている。ヘブル語は「エフイェ　アシェル　エフイェ」であり、エフイェが I am で、アシェルが関係代名詞であるから、そのまま直訳すれば、「わたしは、わたしであるところの者である」ということになるであろうか。

英語訳では〈I am who I am〉となっていてヘブル語をそのまま直訳している(フランス語訳〈Je suis qui Je suis〉、ドイツ語訳〈Ich bin der Ich bin〉も同じ)。通常ならば、I am a teacher とか I am young とか、be 動詞のあとには述語がくるのであるが、ここにはそれが欠けていて、関係代名詞のあとに再度 I am がきている。文法的に破格の、きわめて奇妙な文章であると言わざるをえない。

古来、このエフイェ(「ハーヤー」〔ある〕の未完了形・一人称)と神名YHWHとが結びつけられ、YHWHはハーヤーの未完了形・三人称であるイフイェから由来すると考えられた。そして、神は創造神であるから、このイフイェは、ハーヤーの使役形であって、「あらしめる」つまり「存在させる」という意味を持つという神学的解釈とか、アラビア語の語根

hwj（熱情的）にさかのぼる解釈とか、あるいは、そもそもこれは単なる名称であって、語源的な探索は無意味であるとか、さまざまに論争されてきたのである。

しかし、この繰り返しは、物事を強調するときにもちいられる重畳法（Paronomasie）であって、単に「ある」ではなくて、「必ずある」という意味に解釈すべきだという提案がなされている。[2] これは、なかなか説得力のある解釈である。これは、さらに、一二節の「あなたと共にいる」と合わせて考慮するならば、「ある」が単に「存在する」という意味とは異なる解釈の可能性を示してくれるのである。

モーセが神に出会ったジュベル・ムーサ（モーセの山）

この「ある」はギリシア哲学の場合のように、物の存在とか非存在という存在論的な「ある」ではなく、動的な意味を持つのである。ギリシア人は「あるものはあって、ないものはない」というパルメニデスの言葉が示すように、「ある」ことの首尾一貫性を追究した。したがって、神もまた、ものごとの第一原因として完結性を持った存在である。

第一原因とは、種々の原因・結果をさかのぼっていって、最後にこれ以上さかのぼりえない究極の原因である。それは、まさに、存在を分割していって、もうこれ以上分割しえない「アトム」と同じであろう。

ギリシアにおいて、神はこの最初の原因を与えた者であるが、その後はもはや、種々の原因・結果とはかかわりなく、すべてを超越した神としてとらえられているのである。これに対し、モーセにあらわれた神ＹＨＷＨは、このようなギリシアの神々とまったく異なる性格をもつ神なのである。

「イスラエル」に「ユダヤ人」が住み「ヘブル語」を話す

われわれ「日本人」は、「日本」という国家に住み、「日本語」を語っている。その内実がどうであれ、そのように「日本」という単語をもちいている。ところが現在の「イスラエル」という国家には、「ユダヤ人」が住み、「ヘブル語」を公用語としている（新共同訳では「ヘブライ」という表記がもちいられており、このほうがわれわれにはなじみ深いかもしれないが、「ヘブル」のほうが原語「イブリ」に近く、本書では「ヘブル」をもちいる。なお、「ヘブライ」は「イブリ」のギリシア語音訳である）。その国民の多数は「ユダヤ教徒」である。少なくともわれわれ日本人はそのように理解している。英語でも、Jewish people live in Israel and speak Hebrew. という表現をする。日本の場合でも「大和魂《やまとだましい》」という表現もあって、必ずしも単純というわけではないが、ヘブル語におけるこのような表記の仕方の違いは、それなりに複雑な歴史がその背後にあることを示しているのである。

「イスラエル」は本来「エル戦いたもう」あるいは「エル救いたもう」を意味するウガリット[3]語の世俗的な個人名であったらしい。それが、ある部族集団の名称となったらしく、エジプトのファラオ・メルネプタハ王が、前一二二〇年頃、テーベの死者の神殿に置いた碑文には、彼がパレスチナで征服した敵のなかに「イスラエル」の名が刻まれている[4]。

その後、ダビデ・ソロモンの統一王国の分裂後、イスラエルは北王国の名称となった。それに対しダビデの血統を継ぐ南王国は「ユダ王国」となった。ユダの山地を中心とした王国であったからである。

アッシリアのティグラト・ピレセル三世（前七四五～前七二七）、サルゴン二世（前七二二～前七〇五）、セナケリブ（前七〇四～前六八一）などの年代記や碑文にも、ユダという地名が出てくる。バビロン捕囚後ペルシアの属州となり、その正式名称は「ユダ」であったが、ヘレニズム時代に「ユダヤ」と呼ばれるようになった（「マカバイ記」一　三章三四節）。

ユダヤ教（Judaism）という表現は、このユダ、ユダヤ（Judah, Judea）という地名に由来するが、バビロンに捕囚されたユダの人々（主としてエルサレムの住民）によって、ユダヤ教の基礎が固められたという事実と深くかかわっている。

しかしながら、イスラエルという表象がまったくなくなってしまったわけではない。「マカバイ記」一　一三章四一節には「イスラエルは異邦人の軛《くびき》から解放された」とあって、ヘレニズム時代になっても、「イスラエル」がもちいられていたことを示している。そもそも『聖書《タナッハ》』、とりわけ「モーセ五書」において「イスラエル」は、ユダを含めた全イスラエルを表すことが多く、その場合には、宗教的な表象として理解すべきである。

ちなみに「パレスチナ」は、カナンの西南部地方にギリシアから移住してきた「海の民」ペリシテ人の名に由来する。

さて「ヘブル語」は「ヘブル人」が語っていた言語であるが、この「ヘブル」という単語が頻繁《ひんぱん》に出てくるのは、「出エジプト記」以降である。これについては、次章で触れることにする。

母音がなかったヘブル語

「アルファベット」という表現が、ギリシア語の最初の二文字であるA（α《アルファ》）とB（β《ベータ》）に由来することは周知のことであるが、この文字の表記と呼称が、カナン語（フェニキア語も含める）のアルファベットと深い関係にあることはあまり知られていない。

カナン語のアルファベットはalef（牛の頭もしくは角を表す絵文字が簡略化されたもの）と、beth（家）で始まり、アルファベットの文字の順序と呼称は、ギリシア語（ラテン語、そしてヨーロッパの諸言語）のそれに大きな影響を与えている（八四〜八五ページ図参照）。

ただし、ギリシア語とカナン語のアルファベットの違いは、ギリシア語には母音を表す文字が含まれていて、全部で二四文字からなるのに対し、カナン語はもともと二二の子音しかない点である。つまり、カナン語のアルファベットには母音を表す文字が欠けていたのである。また、大文字小文字の二通りの表記方法がない。

しかしながら、一つの文字が一つの音に対応する単音の文字表記は、画期的なものであった。この発明は、前二千年紀の後半にカナン地方で成立したものであり、カナン語の流れをくむヘブル語もこの文字体系を共有していたが[5]、その成立の起源を問うことは困難である。シナイ半島のエジプトのトルコ石採石場で発見された前一五〇〇年頃の碑文には、エジプトの象形文字から発達したシナイ文字といわれるアルファベット文字で書かれた、カナン系労働者の墓碑銘が含まれている（八六ページ写真参照）。しかし、まだ完全に解読されていないため、確実なことは言えない。

また、前一四〇〇年頃のフェニキアのウガリット文字は、楔形《くさびがた》文字を簡略化した三〇の文字からなるアルファベットを持っていた。前一千年紀以降のカナンで発見されている碑文はすべてカナン語の文字体系できざまれていることから考えて、いずれにせよ、エジプトの象形文字文化圏とバビロニアやヒッタイトの楔形文字文化圏の坩堝《るつぼ》であるカナンにおいてアル

ウガリット	シナイ文字	意味	ヘブル語 前9世紀	方形文字	ヘブル語名	フェニキア文字 前8世紀	古ギリシア文字 前8世紀	ギリシア語名	ギリシア文字	ラテン文字
𐎀 𐎛 𐎜	𓃾	牛の頭	𐤀	א	アレフ	𐤀	𐌀	アルファ	Α	A
𐎁	𓉐	家	𐤁	ב	ベース	𐤁	𐌁	ベータ	Β	B
𐎂	?		𐤂	ג	ギメル	𐤂	Γ	ガンマ	Γ	G
𐎄	𓆛	魚	𐤃	ד	ダレト	𐤃	Δ	デルタ	Δ	D
𐎅	𓀠	手を上げる祈り	𐤄	ה	ヘー	𐤄	𐌄	エプシロン	Ε	E
𐎆	?		𐤅	ו	ワゥ	𐤅	𐌅			V
𐎇	?		𐤆	ז	ザイン	𐤆	𐌆	ゼータ	Ζ	Z
𐎈 𐎃	𓉗	囲い?	𐤇	ח	ヘート	𐤇	𐌇	エータ	Η	H
𐎉 𐎑	?		𐤈	ט	テート		𐌈	テータ	Θ	
𐎊	?		𐤉	י	ヨード	𐤉	𐌉	イオタ	Ι	I
𐎋	𓂧	てのひら	𐤊	כ	カフ	𐤊	𐌊	カッパ	Κ	K

ウガリット					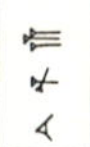					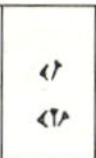	
シナイ文字				?							
意味	牛の鞭	水	蛇		目	投げ板	花	?	頭	弓	十字
ヘブル語 前9世紀	𐤋	𐤌	𐤍	𐤎	𐤏	𐤐	𐤑	𐤒	𐤓	𐤔	𐤕
方形文字	ל	מ	נ	ס	ע	פ	צ	ק	ר	ש	ת
ヘブル語名	ラメド	メーム	ヌーン	サメク	アイン	ペー	ツァデー	コーフ	レーシュ	シーン	タウ
フェニキア文字 前8世紀	𐤋	𐤌	𐤍	𐤎	𐤏	𐤐	𐤑	𐤒	𐤓	𐤔	𐤕
古ギリシア文字 前8世紀	Λ	M	N	Ξ	O	Γ	M	Ϙ	P	Σ	T
ギリシア語名	ラムダ	ミュー	ニュー	クシー	オミクロン	ピー			ロー	シグマ	タウ
ギリシア文字	Λ	M	N	Ξ	O	Π			P	Σ	T
ラテン文字	L	M	N		O	P		Q	R	S	T

アルファベットの歴史

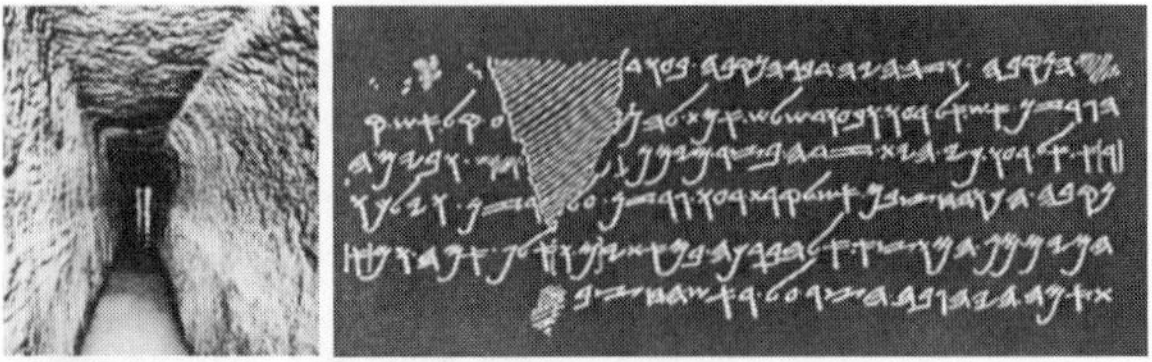

シロア水道とその刻文（注７参照）

シナイ文字で書かれた墓碑銘（カイロ美術館）

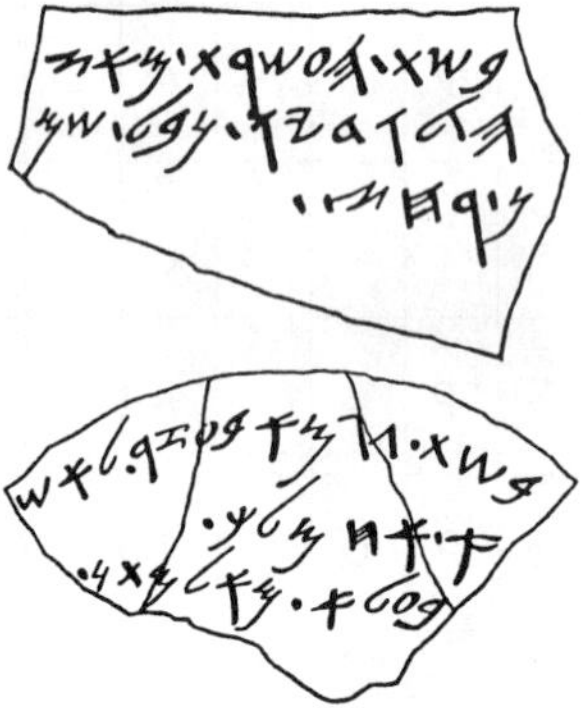

サマリア・オストラカ（前８世紀頃／注６参照）

ファベットが成立したことは明らかである。

カナン語の場合、母音を表す文字がないため、テキストを読む場合には、母音を補って読まなければならなかったが、後代になるとWやYの子音がu／oとe／iを表す母音としてもちいられるようになった。

ヘブル語もカナン語と同じ文字記号をもちいた。ゲゼルの農事暦（前一〇世紀、一四七ページ写真参照）[6]や、前八世紀のサマリアの王宮で発見されたヤロブアム二世時代の六三片のオストラカ等のほか、ユダの王ヒゼキヤがエルサレムに掘った地下のシロア水道の壁に刻まれた水道完成の碑文[7]はとくに有名である（八六ページ写真参照）。これらの文字を見ると、カナンの碑文との共通性は明らかである。しかし、写真で見られるように、現在のヘブル語の文字記号とはかなり異なっている。

実は前一〇〇〇〜前二五〇年頃までは、先のようなカナンの文字がもちいられていたのであるが、前三〇〇〜前二〇〇年のあいだに方形文字と呼ばれる新しいアラム文字に移行したのである。現在残されている『聖書』の写本はすべて（「サマリア五書」を除いて）この方形文字で書かれている。

ところで、ヘブル語が実際に使用されていた時代には、母音表記なしでもさほど不便は感じられなかったであろう。今日でも、ユダヤ教の会堂の朗読では母音を付記したトーラーの巻物の使用は禁止されているほどであるが、それにもかかわらず、先に述べたWやYの使用のほかに、母音記号がもちいられるようになった。

この記号は紀元後六世紀以後に、パレスチナやバビロニアにおいて発明されたのであるが、紀元後九世紀ティベリアスを拠点とするマソラ学者（マソラとは「伝承者」の意）たちによって完成したのである。

YHWHすなわちヤハウェ

ところで、現在もちいられている近代語に翻訳された『旧約聖書』には、上述したイスラエルの神の固有名詞YHWHはそのままでは出てこない。日本語の翻訳では「主」と訳されるのが習わしになっている。英訳聖書ではLord　ドイツ語訳聖書ではHerr　フランス語訳聖書ではSeigneurとなっていて、いずれも日本語の「主」と同じ意味を持っている。

ヘブル語の本文にはYHWHという固有名詞が残されているのに、なぜ、このように「主」と訳されているのか。そこには、少し複雑な過程が存在しているので、説明が必要であろう。

ヘブル語のテキストでは、イスラエルの神の名がYHWHと表記されているのであるが、イスラエルの人々は、いつのころからか（前六世紀末以降の第二神殿時代という説と、ヘレニズム時代のアレクサンドリアのユダヤ教から始まったという説などがある）十戒の第三戒「あなたの神、YHWHの名をみだりに唱えてはならない」（「出エジプト記」二〇章七節）

にもとづいて、神の名を直接発音することを避けて、これを「アドーナイ」（我が主）と呼ぶのが習わしであった（アドーン〔主〕＋イ〔我が〕）。

そして、そのことを明確にするために、ＹＨＷＨに adonay の母音をつけて YaHoWaH と書き、実際はアドーナイと読ませたのである。文語訳の『旧約聖書』では「エホバ」となっていたが、これは、Yahowah をそのまま読んだ誤りである。紀元前三世紀に始まった『聖書《タナツハ》』のギリシア語訳（「七十人訳聖書」あるいは「セプトゥアギンタ」と呼ばれ、前二世紀ごろ完成した）においても、kyrios「主」と訳されており、それ以前に、この習わしがあったことがわかる。

クムラン写本では、神名には方形文字ではなく、カナン語の古い書体がもちいられていて、ＹＨＷＨが神聖視されていたことを示している（これを「神聖四文字」という）。ちなみに、現在のヘブル語テキストでは、「名」semah の母音が付されている（「名」もまた神に代わる実体をもつ）。

では、このＹＨＷＨは、もともとどのように発音されていたのであろうか。『聖書』にはおよそ六八〇〇回出てくるが、本来の発音を示す箇所はない。現在では、直接的な証拠は残されておらず、間接的な証拠から推察するより他ない。幸いキリスト教教父の文書のなかにいくつかのギリシア語音訳が見出される。

それによると *Ιαβε* あるいは *Ιαουε* と読まれていたことがわかるのである。[8] すると、片仮名ではヤーべあるいはヤーウェと表記されることになるが、Hが子音であることを考慮に入れれば、ヤハウェと表記するのが良いと思われるので、本書では以後、神名を強調する場合には、この「ヤハウェ」という表記をもちいることにする。

ては、このヤハウェには、いかなる意味が込められているのであろうか。

ともにあり、導き、解放する神

イスラエルの神は超然とした神ではなくして、歴史のなかにあって人々とともにある、ともに歩む神なのである。

先に引用した箇所の最後において、「あなたたちの先祖の神、アブラハムの神、イサクの神、ヤコブの神である主」という表現があったが、「主」つまり「ヤハウェ」が、族長たちの神であることが述べられている。族長たちが小家畜飼育者であって、羊や山羊を守り、牧草地へと安全に導いていくのがその使命であったこと、そして、彼ら族長たちの神もまた、その民を守護し、導くという性格を持っていたことについては、すでに第一章において述べた（五九ページ以下参照）。

ここでも、モーセに現れた「ヤハウェ」が、奴隷として苦しみを受けているイスラエルの民をエジプトから導き出し、保護することが語られている。族長の神とヤハウェとの性格上の一致があることは明らかである。

では、このヤハウェはいつごろからイスラエル人に知られていたのであろうか。当然彼らは人類の最初からであったと考えている（「創世記」四章二六節参照）。しかし、実際には、はるか後代になってからである。『聖書』には、不思議なことにいくつかの重要なほころびを示す箇所がある。ヤハウェと族長の神との関係について、その一つは、次のように述べている。

神はモーセに仰せになった。「わたしはヤハウェである。わたしは、アブラハム、イサク、ヤコブに全能の神として現れたが、ヤハウェというわたしの名を知らせなかった。わたしはまた、彼らと契約を立て、彼らが寄留していた寄留地であるカナンの土地を与えると約束した。わたしはまた、エジプト人の奴隷となっているイスラエルの人々のうめき声を聞き、わたしの契約を思い起こした。それゆえ、イスラエルの人々に言いなさい。わたしはヤハウェである。わたしはエジプトの重労働の下からあなたたちを導き出し、奴隷の身分から救い出す。腕を伸ばし、大いなる審判によってあなたたちを贖《あがな》う。そして、わたしはあなたたちをわたしの民とし、わたしはあなたたちの神となる。あなたたちはこうして、わたしがあなたたちの神、ヤハウェであり、あなたたちをエジプトの重労働の下から導き出すことを知る。わたしは、アブラハム、イサク、ヤコブに与えると手を上げて誓った土地にあなたたちを導き入れ、その地をあなたたちの所有として与える。わたしはヤハ

ウェである」。(「出エジプト記」六章二〜八節)

これは、先に引用した「出エジプト記」三章の神の命令にしたがってエジプトに戻り、ファラオとの交渉に臨んだが、王との交渉失敗に落胆したモーセに対して、神が再度、ファラオを説得せよという命令を語る箇所である。この時のファラオはラーメス二世と言われている。ここでは、二度目という形を取っているが、実際は、三章との平行箇所であると考えられる。

ここには、「わたしはヤハウェである。わたしは、アブラハム、イサク、ヤコブに全能の神として現れたが、ヤハウェというわたしの名を知らせなかった」という重要な言明がある。つまり、族長たちは、ヤハウェという名を知らなかったのであり、モーセが初めて知ったという事実が述べられている。

三章の場合にも、モーセに対してヤハウェの名が示されるのであるが、「あなたたちの先祖の神、アブラハムの神、イサクの神、ヤコブの神であるヤハウェがわたしをあなたたちのもとに遣わされた」と述べられていて、先祖の神とヤハウェとの同定が示されている。しかし、ここでは、明確にその同定が否定されているのである。族長たちに現れた神は、ヤハウェではなく、別の名前を持った神であったと主張している。

それにもかかわらず、族長たちにあらわれた神の性格と、モーセにあらわれたヤハウェの性格とは、重要な点で一致していると言わざるをえない。小家畜飼育者の神の性格がそのまま引き継がれているからである。

　では、なぜ、ヤハウェ自身が族長の神と異なるとモーセに告げたのであろうか。いな、そのように告げたと『聖書』の箇所は述べているのであろうか。それは、おそらくヤハウェがモーセに対して初めて顕現した神であって、「アブラハムの神、イサクの神、ヤコブの神」とは異なるという歴史的事実を踏まえているからであろう。

モーセ像（ミケランジェロ、1513〜16年、聖ピエトロ・イン・ヴィンコリ教会）

　しかし、そのような事柄を越えて重要な点は、小家畜飼育を生業とする小規模な家族共同体（父の家）の神が、ここであらたにヤハウェとしてみずからをあらわすことによって、今や、エジプトから脱出する大規模な共同体（イスラエル）を導く神となったという神学的見方が背後にあるということである。あるいは、小家畜飼育者を守護する地域的な神から、歴史を導く神としての性格をあらわにしたと言うことができるかもしれない。

過越祭

ヤハウェの命を受けたモーセは、エジプトに立ち戻り、ファラオにイスラエルの民の解放について交渉するが、成功しない。モーセは、ヤハウェが命じられたとおりに、種々の災い（血、蛙、ぶよ、あぶ、疫病、はれ物、雹《ひょう》、いなご、暗闇）をファラオに下すが、ファラオはそのつど心をかたくなにして、イスラエルの解放を許さない。そこで、神みずからがエジプトの国を巡り、人、家畜のすべての初子《ういご》（最初に生まれた子）を撃つという最後の災いを下すのである。

イスラエルの人々は、用意した小羊をほふって、その血を天幕の入り口の二本の柱と鴨居《かもい》に塗っておくよう命じられる。神がその血を見て、天幕のなかに入って中にいる人々を撃たずに、その上を過ぎ越すためである。真夜中になって、神はエジプトの国のすべての初子を撃ったので、ファラオはついに民の国外脱出を許可するのである。これが、ユダヤ教で最大の祭りである過越祭《すぎこしさい》（ペサハ）の起源である。

おそらく、この祭りは小家畜飼育者が新たな牧草地を求めて旅立つ際のまじないであった可能性があることについては、先に述べた（六〇ページ参照）。このような古い風習が、エジプト脱出という出来事と結びつけられて、歴史化されていったと想定しうる。ここにも、家族共同体の伝承から部族共同体の伝承への転位を見出すことができるのである。

以上のことから、モーセに顕現した「ヤハウェ」は、本質的には「族長の神」と同じく、「ともにある神」であり、超然とした神ではなく、歴史のなかにあって、人々と共に歩む神であることが明らかになった。しかしそれはもはや、族長たちの「家族共同体」を導く神ではなく、今やエジプトから脱出する民族共同体を導く神である。

わたしはヤハウェ、あなたの神、あなたをエジプトの国、奴隷の家から導き出した神である。（「出エジプト記」二〇章二節）

これは、モーセがシナイ山で神から授けられた十戒の序文である。ここには、イスラエルの民の起源と存在根拠が明らかにされている。民のこの自己理解が、どのようにして伝え守られていくのか、それが、次章以下の課題となる。

第三章　戦う神――「聖戦」と約束の土地カナンの征服

『聖書』における土地取得

『聖書』の記事を大筋にしたがって読むならば、イスラエルの十二部族はエジプトにおいてすでに成立しており、エジプトを脱出したときの人口は、壮年男子のみで約六〇万人いたということになっている（「出エジプト記」一二章三七節）。

彼らは最初モーセの指導の下に荒野を四〇年間放浪したのちに、エドム、モアブをへて、ヨルダン川東に到達する。モーセの死後、今度はその後継者ヨシュアの指揮のもと、ヨルダン川を渡り、エリコを手始めに、カナンの町々を征服する。最後にヨシュアが「くじ」によってカナンの土地をイスラエルの十二部族に割り当てたということになっている。

しかしながら、もう少し『聖書』をくわしく読むならば、このような記述に対し、エジプトを脱出した民のなかにはイスラエル人だけでなく、他の民もいたこと（「出エジプト記」一二章三八節、「民数記」一一章四節）、さらに重要なことに、カナンのすべてを占領できなかった（「士師記」一章）という記述のあることに気づくのである。それをめぐっていくつかの学説が出され、イスラエル成立の謎を解く試みがなされてきた。それを本章ではまず紹介し、『聖書』の記述の背後にある神に対する理解について述べることにしよう。

「ヨシュア記」と「士師記」には、イスラエルの民のカナン定着に関して、次のような互いに異なる二つの記述がある。

主はヨシュアに言われた。「恐れてはならない。おののいてはならない。全軍隊を引き連れてアイに攻め上りなさい。アイの王も民も町も周辺の土地もあなたの手に渡す。……ヨシュアは全軍隊を率《ひき》いて行動を起こし、アイへ攻め上った。……イスラエルは、追って来たアイの全住民を野原や荒れ野で殺し、一人残らず剣にかけて倒した。全イスラエルはアイにとって返し、その町を剣にかけて撃った。その日の敵の死者は男女合わせて一万二千人、アイの全住民であった。……ヨシュアはこうしてアイを焼き払い、とこしえの廃虚の丘として打ち捨てた。（「ヨシュア記」八章より）

主がユダと共におられたので、ユダは山地を獲得した。だが、平野の住民は鉄の戦車を持っていたので、これを追い出すことはできなかった。……

マナセは、ベト・シェアンとその周辺の村落、タナクとその周辺の村落、ドルの住民とその周辺の村落、イブレアムの住民とその周辺の村落、メギドの住民とその周辺の村落を占領しなかった。そのためカナン人はこれらの地に住み続けた。イスラエルも、強くなってから、カナン人を強制労働に服させたが、徹底的に追い出すことはしなかった。（「士師記」一章一九、二七〜二八節）

この二つの『聖書』記述のうち、どちらが正しいのであろうか。ここではこの点に関して述べられている三つの見解を検討したい。まず最初に、アメリカの旧約聖書学の泰斗《たいと》で、エルサレム・アメリカ・オリエント研究所所長、のちにジョンズ・ホプキンズ大学セム語学教授をつとめたオールブライト（一八九一〜一九七一）[1]を中心としたグループの見解である。

武力によるカナン征服——オールブライト説

従来、「ヨシュア記」の叙述は、おそらく前六世紀に書かれた「申命記」から「列王記」にいたる「申命記的歴史著作」（二四四ページ参照）の一部であって、統一あるパレスチナへの侵入は、この歴史家の理想像であると考えられてきた。しかし、「ヨシュア記」の叙述を非歴史的なものとして捨て去ることはできないというのが、オールブライト派の主張である。

その主たる根拠として彼らは考古学的証拠をあげる。『聖書』の記述とは異なり、エリコやアイなどは、イスラエルのパレスチナ侵入以前にすでに破壊されていたことを認めるにしても、デビル（「ヨシュア記」一〇章三八節以下）をはじめ、ラキシュ（同一〇章三一節以下）など多数の町々から前一三世紀後半に破壊された痕跡が発見されているから、このような考古学的証拠は『聖書』の記述をそのまま実証しないとはいえ、これを無視することは決して健全な方法とはいえない。

また逆に「士師記」の記述も無視することはできないから、二つの『聖書』記述にともに留意すべきであろうという立場をとっている。すなわち、その定着過程が複雑なものであったことを認めるのである。

また、イスラエル民族そのものについても、エジプトにおいて十二部族がいたわけではないが（エジプトでは部族組織はなかった）、後の十二部族全体に見出される分子が存在していた。その出エジプトとシナイを経験した群れがイスラエルの真の中核であり、それに、彼らの同族であるが、エジプトにいなかった中央パレスチナの部族（『聖書』をくわしく検討すれば、中央パレスチナを征服する記述はない）、ハビル（後述）、カナン人（ギブオン人の同盟、「ヨシュア記」九章）、ガリラヤの諸部族、またケニジ人やケニ人などが加わってイスラエルが形成されたと考えるのである。

「だがそれにもかかわらず、出エジプトとシナイを経験した群れはイスラエルの真の中核であり、イスラエルの構成要素である以上、イスラエルのすべてがそこにいたと聖書が主張するのは、深い意味では正しい。またおそらく、のちのすべての部族は、これらの出来事にさかのぼる家系を誇る分子を実際に持っていたのであろう」と述べている。[2] このように見るならば、オールブライト派の見解は、武力による征服に、より重点があると言ってよいであろう。

平和的カナン定着――アルト／ノート説

これとまったく異なる見解を述べるのが、ドイツの旧約聖書学の碩学《せきがく》A・アルト（一八八三～一九五六）とその後継者M・ノート（一九〇二～六八）である。[3] 彼らによれば、イスラエルの民は、武力によってカナンを征服したのではなく、小家畜飼育者が長い年月のあいだに徐々に定着したという。

半遊牧民（小家畜飼育者）であった氏族や氏族群が別々にカナンに入り、その後それらが漸次《ぜんじ》部族へと結合して、最後にカナンの地においてイスラエルという十二部族の連合の形をとった（例えば、ユダ部族は「ユダの山地」に別々に定着した諸氏族が後に合併したものである）、とされる。したがって、ノートによれば、カナンにおける十二部族連合の成立以前にはイスラエルは存在していなかったということになるのである。彼によれば、

（一）最初に定着したのは、ヤコブとレアの間に生まれた子らとされているルベン・シメオン・レビ・ユダ・イサカル・ゼブルンの諸部族である。これを「レアの六部族」という。

（二）その後ベニヤミン部族を形成した氏族が入ってきて、それにヨセフの家が続く（ヨセ

フとベニヤミンはヤコブとラケルの子とされているが、ノートはこの関係の史的基盤は、ベニヤミンが中央パレスチナにおいてヨセフ（実際はマナセとエフライムの二部族に分かれる）の南に隣接していた点にあると考える。ベニヤミンは「南の民」という地理的位置を示唆する名称だからである）。

（三）召し使いから生まれた諸部族に関して、ノートは最初、彼らがレア群よりあと、ヨセフより前にカナンに入ったと考えたが、後には、ガドの到来をヨセフと同じ時期であったと考えた（「創世記」三五章二三〜二六節参照）。

このような戦闘によらない平和的定住という見解の根拠は、まず「占拠できなかった町々のリスト」である（「士師記」一章）。そのリストによれば、カナンにはイスラエル人の征服できなかった町が数多く残っている。先にその一部をあげておいたとおりである。

これは、「ヨシュア記」の記述とは異なって、カナンの住民をすべて滅ぼしたのではなく、むしろ、住民の少ない地域に入っていったらしいことが示唆されている。「占領しなかった」とか「追い出すことはしなかった」という表現は、したがって、「占領できなかった」「追い出せなかった」とすべきかもしれない。

Ａ・アルトによれば、イスラエルの民の前身は小家畜飼育者であって、彼らは羊、山羊などの小家畜を飼いながら、町や農村の周辺部で生活し、雨期と乾期の季節ごとに牧草地を移動していた。彼らは、農村部の周辺にいて、雨の降る雨期には、草のはえている荒野で生活するが、雨の降らない乾期には、農村の刈り入れ後の田畑に入れさせてもらい、羊たちに切り株や草などを食べさせたのである（三八ページ以下参照）。

このような小家畜飼育者が徐々にカナンの丘陵地帯に定着して氏族を形成し、さらにそれらの氏族が集まって部族を構成し、最後には、十二の部族からなる部族連合が成立した、というのである。これをノートはアンフィクチオニーと名づけている。これは、元来ギリシアのポリスの連合体を指す用語であるが、イスラエルにもこのような部族連合が存在し、その連合の総称が「イスラエル」であったと彼は考えたのである[4]。

十二部族の人たちは、年に一度（「申命記」では、七年に一度、仮庵祭《かりいおさい》のとき）、定期的に中央聖所に集合して、ヤハウェとの「契約更新祭」をおこなった。「ヨシュア記」二四章の記事は、歴史的な一回的な出来事としての集会を描いているが、これは、定期的におこなわれたこの契約更新祭を示唆していて、この祭りにおいて、「ヤハウェはイスラエルの神」であり、「イスラエルはヤハウェの民」であるということが再確認されたのである。そして、この部族連合の名称がイスラエルであったというのが、アルトやノートの主張である。

オールブライトおよびアルト／ノートの二つの理論は、いずれも『聖書』の記述に依っているのであるが、重点の置き方が違うということに気がつく。それは、その両者の理論を生み出した歴史性の違いがその背後にあるからではないだろうか。

オールブライトを生んだアメリカは一七七六年、独立宣言を中心として多民族が一つの国家を築こうとした。しかし、それに反対する人々はそこから排除されていった。とりわけ先住民であったネイティヴ・アメリカン（いわゆるアメリカ・インディアン）が徹底的に排除されたことは明らかな事実である。移住者たちは、彼らをカナン人と見立てて排除していったといううがった見方もできないこともない。一方、アルトたちの見方は、一九世紀半ばすぎまで統一国家を形成できなかったドイツの状況を反映しているかもしれない。

カナン定着第三の理論——メンデンホール説

ところで、戦闘行為による侵略であれ、平和的な移住定着であれ、このような見方には、後にイスラエルを構成する人々が外部からカナンに入っていったということが前提となっている。このような見方に対して、最近では多くの異論が出されている。その代表として、アメリカ・ミシガン大学教授であったG・E・メンデンホール（一九一六〜　）の説に触れておきたい。

まず、彼の主論文「ヘブル民族によるパレスチナ征服」（"The Hebrew Conquest of Palestine"[5]）にしたがえば、従来の見解が依存している暗黙の、あるいは明確な前提は、

（a）十二部族が「征服」以前、あるいは「征服」と同時に、他の地域からパレスチナに入ったこと

（b）イスラエル部族はノマド（遊牧民）あるいは半ノマドであって、征服のあいだに、あ

るいは征服ののちに定着し農耕民となったこと
（c）十二部族の連帯は「人種的な」ものであり、それが、イスラエルとカナンとを区別する根拠である
という点にある。

農耕者カイン、牧羊者アベル

まず（b）から考えてみよう。ノマドと定住民との間には鋭いコントラストがあり、それが初期イスラエルの特異な宗教的・文化的特質の原因であると考えられてきたが、実際には純粋なノマド、純粋な農民というのは存在しないのであって、『聖書』と「マリ文書」（ハムラピ王と同時代の頃に繁栄したユーフラテス川上流の町マリから出土した大量の文書）の証言によれば、牧羊者とは、家畜の飼育に秀でた村人のことであった。村の全人口を支えるに十分な耕作地がなかったため、食料不足を牧畜によって補わざるをえなかったからである（ちなみに、日本の食事では、ご飯が主食で、おかずが副食ということになっているが、ヨーロッパでは、主食と副食との区別がない。片一方だけでは不足するから、パンもじゃがいももさらには肉も食べないと足りないのである。そのところが、お米だけで足りる日本と、肉も一緒に食べないとやっていけないヨーロッパとが違う点であると鯖田豊之[6]は述べている）。

したがって、『聖書』のなかでも、例えば、農耕者のカインと牧羊者のアベルとは兄弟である（「創世記」四章二節）。それゆえイスラエルの民は季節によって移動したのであるが、全員が移動したわけではなく、村に留まる者もいた。ヨセフの兄弟たちが北のシケムに行って父の家畜を飼っているのに対し、ヨセフと父のヤコブとはシケムから遠く離れたヘブロンに留まっていたように（「創世記」三七章一二～一四節）。

その他、「イサクがその土地に穀物の種を蒔《ま》くと、その年のうちに百倍もの収穫があった」（「創世記」二六章一二節）という言葉から、小家畜飼育者もまた、農耕をしていたという可能性も考えられる。また、ヨセフが見た「畑のなかの束がお辞儀をする」夢もこのことを示している（「創世記」三七章七節以下）。

したがって、小家畜飼育者を主体とする（半）遊牧の民もまた村と結びついていて、この両者を対照化してしまうのは、事実に即していないと言わざるをえないのではないだろうか。

ハビル――王と町を嫌う人々

（c）についてはどうだろうか。部族という言葉がノマドを連想させる。しかし、アテネの町も部族に分割され、フェニキアの港町ビブロスも同じであった。したがって、部族機構が本来的にノマド的背景を示すしるしにちがいないというのは正しくない。青銅器時代の部族がどういうものであるのかはきめがたいが、系図的なつながりが部族を生み出したとは考えられない。むしろ、帰属性と忠誠心という主観的感情や、外部から自己を守るという客観的事実が部族を生み出したと言えるであろう。

したがって、部族は、個人の直接的環境を越えた、より広い単位の社会として考えるべきものであって、それは通常は村なのである。ところが、このような自給自足的な村の部族的アイデンティティを中性化したのが、都市化であった。都市では富、権力、名望が目指され、その結果、人々の階層化が進み、都市の支配が及ぶ農村の民もますます農奴化されていったのである。

このような状況で、「私は王と町を嫌う」と言って、町に対する忠誠・義務を拒否し（その見返りとして、その社会からの保護が得られなくなるが）、町を去る人がハムラピ王の時代にも存在していた。これらの人々は「ハビル」もしくは「アピル」と呼ばれているが、彼らは生まれつきハビルであったのではなく、そうなることを自分の行為によって選んだと言えるであろう。もちろん、自分から積極的に選ぶ場合と、そうならざるをえなかったという場合とがあったのであるが。

彼らはメソポタミアにも、エジプトにも存在していたが、このハビルという名称は人種を表す言葉ではなく、低社会層に属する人々を表す名称であった。彼らは、あるときは季節労働者として、例えばぶどう作りに従事し、あるときは傭兵《ようへい》として出陣したり、略奪者になって暴れまわったりしていたのである。

エジプトへの反抗

エジプトの第一八王朝の末期に、アマルナ時代というきわめて独特の文化が栄えた時代があったことについては、前章のエジプトの宗教の項で述べたが、それは日本の元禄時代と同じく、政治的には弱体化した時代でもあった。エジプトが内部の改革に忙しく、外部に対して力が弱かった時代であった。

そのことについては、エジプト王国のエルサレム（手紙では「ウルサリム」）総督アブディ・ヘバが、その王アクン・アテンにあてて書いた手紙が雄弁に語っている。彼は、主君に対して援軍の要請を何度もしているが、その中から二通を取り上げておこう。

我が主なる王に私は何を致しましたでしょうか。

人々は私を主なる王にむかって中傷致します――

「アブディ・ヘバは彼の主なる王に不忠者となりました」と。

御覧下さい、この土地に私を置いたのは我が父でも、また、母でもありません。

王の強い御手が我が父の家に私を導きました。

どうして私は主なる王に悪心を抱きましょうか。我が主なる王の在《お》わす限り、私は、我が主なる王の執事に申します――

「なぜあなたはハビルを愛し、あなたの総督を憎みますか」。しかし、そのために私は我が主なる王の前で誹謗《ひぼう》されています。「我が主なる王の国々は失われる」と申すために、そのために、私は我が主なる王に対して誹謗されています……。ゆえに主なる王よ、御国を大切になさって下さい……。

我が主なる王の射手たちを繰りだすため、王の注意を射手たちに向けさせて下さい。王の土地は残りますまい。ハビルは王の全領土を掠奪《りやくだつ》します。もし今年射手たちが、ここにくれば、主なる王の領土は残ります。しかし、もし射手たちがここにこないならば、そのときは、我が主なる王の領土は失われます。

我が主なる王の書記に、貴下の僕アブディ・ヘバ、かく申し上げます――この消息を飾りなく我が主なる王の前に、お取次ぎ願います、すなわち我が主なる王の全領土は、ほろびようとしております、と。

まことに、このウルサリムの地を、私に賜わりましたのは父からでも、母からでもなく、王の強い御手からでございます……。

まことに、王はウルサリムの地に永久に御名を与えられました。

したがって王はウルサリムの領土を見棄てられるようなことがあってはなりません。

王よ、御国を大切になさって下さい。王の領土は失われましょう。
私は無一物になりましょう、みな私に叛《そむ》いておりますから……。
今や、ハビルは王の町々を奪いつつあります……。
もし今年射手たちがこないならば、そのときこそ、王よ、
私を兄弟とともに引取るために代理者をおよこし下さい。
そうすれば私は我らの主、王に殉《じゅん》じましょう。
御覧下さい、ミルキリムとタギを、彼らがなしたることはこの通りです。
ルブダを収め、今やウルサリムを奪おうとうかがっています……。
そのとき我らはウルサリムを捨てるべきでしょうか。……
貴下の卑しい僕より。(7)

このような催促にもかかわらず、おそらくエジプトからの援軍は来なかったであろう。ここに出てくるハビルたちはアウトサイダー的な存在であり、エジプトの支配体制に反抗する略奪者の群れであったと言ってよい。メンデンホールによれば、実はこのハビルたちは、外部から攻めてきたのではなくて、現存の政治体制への義務を放棄して政治的・主体的にドロップ・アウト（メンデンホールは「引き上げ」withdrawal という言葉を使っている）したカナンの農民たちであったという。

ところで、彼によれば、「ヘブル」もまた「ハビル／アピル」と同じ語幹をもつから、ヘブル人というのも人種を表す名称ではなく、低社会層に属する人々を表す言葉と言えるであろうという。したがって、出エジプトした人々がヘブル人と呼ばれているのは、彼らがハビルであったということを示している。

ハビルを連帯させた宗教運動

さて、エジプトから逃亡することに成功したハビルの群れを中心に、それにパレスチナの諸都市の支配から逃亡したハビルたちが加わってできたのがイスラエルであると、メンデンホールは主張する。ただし、そのとき、ただ単に合体したのではなくして、彼らを組織し、連帯にまで高めたのが、新しい宗教運動であった。彼らは他の共同体に守護と支援を求めることなく、神ヤハウェとの関係を契約によって確立したのである。

この新しい共同体を創造したのは、唯一の神への共通の臣従であり、共通の規範に対する義務であった。権利を奪われ、なんら創造的な機能を果たしえない、ただ税のみを搾取《さくしゅ》される多くの苦しめる人々にとって、臣従における連帯は魅力であったに違いない。彼らは、新しくできた共同体に参加することによって、エジプトでの圧迫を経験した人々と同一視され、奴隷状態から救われたのであった。

わたしはあなたたちをエジプトの手からだけでなく、あらゆる抑圧者の手から救い出し、あなたたちの赴《おもむ》く前に彼らを追い払って、その地をあなたたちに与えた。(「士師記」六章九節)

ここには、出エジプトを経験しなかったグループが、出エジプトの出来事と自分たちの救済の体験との間にアナロジーを見出していたことが、示されている。神ヤハウェは出エジプト・グループだけでなく、自分たちをも救ってくださった、そのことが、出エジプトを体験しなかったグループをも「ひとつの」宗教共同体へと結びつけていったのであり、そして、権力を越えた規範への臣従を生み出したのである。これがイスラエルの宗教の主流であるとする。

彼らは、カナンの政治機構を支える神的権威・集団の経済的関心を季節ごとに祝うカナンの宗教を根底から拒否したのであった。初期イスラエルの伝承は、カナンの文化をイスラエルのそれとは全く対照的なものとして前提している。奴隷や寄留者等に対するこまやかな配慮は、後期青銅器時代のカナンの高度に階層化された社会に対する絶対的な拒否を前提としている。カナンはヤハウェ主義の対極として見られているのである。

このことは、最初期のイスラエル人が実際にカナン都市の支配下にあって、そこから引き上げることに成功したと仮定するならば、最もよく理解することができる。彼らは、こうして独立すると、同じような権力中心の社会を再構築することはなかった。しかしやがて王国が成立するとともに、結局はそれに屈してしまうのである。

先の（a）の外部からの侵入については、以上のことから説明の要はないであろう。

一〇世代仮説

では、このような連帯による抵抗はどのようにして可能になったのであろうか。メンデンホールはここで一つの仮説を出している。「一〇世代仮説」というものである。(8)古代世界の政治・社会機構のほとんどは一〇世代、すなわち、一世代を二五ないし三〇年と考えると、二五〇ないし三〇〇年継続すると完全に消滅するか、あるいは根本的な変化をこうむると言われている。文化的・政治的不連続はおよそ一〇世代ごとに起こる。とりわけパレスチナにおいてこの不連続は、後期青銅器時代から初期鉄器時代への移行期において顕著に見られた。

このとき後期青銅器時代の都市国家組織は崩壊し、経済が貧困化し、軍事力、政治力が無力化したが、この不連続が農民の反抗を可能にしたと言えるであろう。さらに、この過程においてとくに重要なことは、古いイデオロギーの分解である。

経済的欲求と権力闘争は、古代カナンの神々、バアルと豊穣神によって象徴されていたが、この古いイデオロギーを基礎とするアンシャン・レジーム（旧体制）の崩壊・衰退によって、自分たちを守護してくれる力を失ってしまった農民にとっては、新しいイデオロギーのうえに基礎づけられた新しい社会が待ち望まれたであろう。このような不連続のなかにイスラエルのいわゆる「定着」を位置づける必要がある。

モーセの指導による新しい宗教運動は、古いイデオロギーにかわる新しい魅力をもったのであった。ヤハウェ宗教が農民に魅力を与えることができたのは、ヤハウェが彼らに土地を与え、彼らを苦境から救出し、戦士として彼らを自由へと導く神とされたからである。

農民たちは血縁的・地縁的多様性を保ちながら、ヤハウェとの契約の下に連合したのである。ミニマムの軍事組織・軍事力をもったこの共同体は、約一〇世代続いたが、不幸にも沿岸部に移住してきたペリシテ人の内陸部への勢力増大を契機として、自分たちの宗教イデオロギーを捨てて、「他の国々のように」なってしまったのであった。

以上、ややくわしくメンデンホールの説を見てきたが、イスラエルの民は、武力によって、あるいは、平和的に外部から侵入したのではなく、カナンの農民がカナンの都市の網目から引き上げて成立したのであり、それを可能にしたのは、古いイデオロギーの崩壊と新しいイデオロギーの誕生であったことを確認しておきたい。

このメンデンホールの仮説に対し、多くの反論や対論が現れたが(9)、ここでは、彼が最後に述べたこと、すなわち、農民の反乱によって成立したイスラエル共同体が、自分たちの宗教イデオロギーを捨てて、「他の国々のような」王国になってしまったという指摘に注目しておきたいと思う。

以上、オールブライト／ブライト、アルト／ノート、メンデンホールの三つの理論について見てきたが、現在では、いずれか一つだけで、イスラエルの定着過程を説明することはできないという点で、ほとんどの研究者が一致していると言ってよいであろう。

実際には、戦闘、脱出、平和的移住、いろいろな形の定着過程があったのであり、そして、定着した民の生活様式は多様で、農業もあれば牧畜もあり、またケニ人（地上の放浪者となったカイン〔アダムの子〕の末裔《まつえい》といわれる遊牧民）やレカブ人（ケニ人レカブの子孫で、砂漠での生活を守り通した遊牧民族、「列王記」下一〇章一五〜二七節、「エレミヤ書」三五章参照）のような自由民も存在していたのである。M・ノートが主張するように、十二部族連合が実際に存在したかどうかは定かでないが、なんらかの部族連合ができたであろう。この時代は王国形成にいたるまで約二五〇年間続くのである。

戦う神

「ヨシュア記」と「士師記」の二つの記述から、実際の定着がどのようなものであったか、それについてのいくつかの仮説を見てきたが、しかし、『聖書』の記述では、どちらかといえば、「ヨシュア記」による戦闘的侵入のほうに重点が置かれている。そのことは、「ヨシュア記」と「士師記」が述べる神の性格と深くかかわっている。ここに登場する神は「戦う神」なのである。

例えば、イスラエルの民が最初に占領したエリコの町の場合、神は「見よ、わたしはエリコとその王と勇士たちをあなたの手に渡す」と宣言したのち、「神の箱」を先導にして町の周囲を六日間一周し、最後の七日目には七回まわるように命令する。ヨシュアは命じられた通りにおこない、最後に「鬨《とき》の声をあげよ。主はあなたたちにこの町を与えられた。町とその中にあるものはことごとく滅ぼし尽くして主にささげよ」と言って、民が角笛を吹き、鬨の声をあげると、城壁が崩れ落ちた（「ヨシュア記」六章）。

また、エリコの隣町アイ（「廃虚」の意）の攻略の際には、ヨシュアは「あなたが手にしている投げ槍をアイに向かって差し伸べなさい。わたしはアイをあなたの手に渡す」という神の命令に従って町を攻撃し、男女合わせて一万二〇〇〇人の敵を剣にかけたのである（「ヨシュア記」八章一八節以下）。

このようなヨシュアに対する命令のみならず、「主はイスラエルのために戦われた」（「ヨシュア記」一〇章一四節）、「主がこの町も王もイスラエルの手に渡された」（「ヨシュア記」一〇章三〇節）のような記述から、「ヨシュア記」の著者（もしくは編集者）がヤハウェを「戦う神」とみなしていたことは明らかである。そして、このようにして獲得された土地は、主の命令に従って「くじによって」（つまり「神託」を通して）各々の部族に分割授与されるのである。

定着後の出来事は「ヨシュア記」に続く「士師記」において語られるが、ここに登場する士師（本来的には「裁判官」）は、神の霊が下って力を授与され、外敵（死海の東方のミディアン人、アンモン人など）に対抗するカリスマ的指導者である。

ギデオンはその代表であるが、彼は神の命令に従い、三万二〇〇〇の軍隊から僅か三〇〇人のみを選出し、ミディアン人との戦いに挑む。彼らのおこなうことはただ一つ、角笛を吹き、「主のために、ギデオンのために」と叫び、敵を包囲するのみであった。民が戦闘に直接参加することはない。

「神の箱」を先導として、ただ城壁のまわりを巡ったエリコの場合と同じく、民ではなく、神が戦う姿勢が貫かれている（「神の箱」の戦闘的性格については、「民数記」一〇章三五節以下参照、前述五八ページ）。敵を「絶滅しなければならない」（ヘレム）という命令も、神の戦う「聖戦」の考え方を示しており、命令違反者は厳しい罰則に処せられる（「ヨシュア記」七章）。「戦う神」の理念は、イスラエルの民と「ともにいる神」の変形と見なすことができよう。

なお、「ヨシュア記」は「申命記的歴史著作」の一つで、前六二二年のヨシヤ王による宗教改革の理念に大きな影響を受けている。ヨシヤはかつてのダビデ・ソロモン時代の栄光を夢見て領土拡大を目指した王であり、「ヨシュア記」に書かれている領土的境界線には、このヨシヤの理想が投影されている可能性を否定できない。この場合には、「約束の土地」は国家の領土としての土地を意味することになる。このような土地理解では、カナンもしくはカナン人は征服の対象でしかなく、武力による征服の記述が大きく取り上げられることになった可能性もある。しかし、それだからといって、その記述すべてを否定することはできないであろう。

ヤハウェ主義の反主流化

前一三世紀の半ばの出エジプトから、前一〇〇〇年のダビデ王国の成立までの約二五〇年間が、この章で取り扱った時代である。イスラエルの民は、エジプトからであれ、カナンの都市からであれ、その奴隷状態から解放されて、脱出共同体を形成し、都市の支配の及ばないパレスチナ中央の山地に、あるいは戦闘によって、あるいは平和的に定着したというのが、おそらく事実であろう。

しかし、その土地はヤハウェが戦い取って彼らに与えられた土地であるという認識があった。そもそもそれはヤハウェの土地である（「レビ記」二五章二三節）。イスラエルにおいて「約束の土地」「聖なる土地」というとき、このような原初の土地取得体験から理解すべきであろう。それがイスラエルの自己理解の主流だったのではないだろうか。

それが、王国への道を歩みはじめることによって忘れられ、いつの間にか、カナン全体の支配を正当化する理念が主流となったのであった。カナンの体制から脱出して成立したヤハウェ共同体が崩壊することによって、元のカナン主義に戻ってしまった。その結果、かつての主流であった「ヤハウェ主義」が「反主流」となり、預言者に受け継がれていくのである。従来言われているように、王国の成立はたしかに政治的・経済的進歩であるかもしれないが、宗教的・理念的には進歩ではなくて、むしろ後退と言うべきだと私は考えている。ヤハウェ・イデオロギーとカナン・イデオロギーとの対立については、次章においてくわしく述べることにしよう。

第四章　農耕の神——農業王国としてのイスラエル

農業がさかんだったカナン

カナンに定着したイスラエルの民は、先住民のカナン人から農業技術を学び、それを改良して発展させていった。当然彼らの生活基盤は、小家畜飼育から農耕へと移り、生活のサイクルも農業との深いかかわりをもつようになった。まず、カナンがどのような土地であったかをエジプトの資料を通して考察し、イスラエルの農業について探ってみよう。そして、農業が彼らの経済生活、さらには政治体制にまで大きな影響を与えたことについても考えていくことにする。

『聖書』のなかの「土地取得伝承」が示すように、定着した民にとって土地はきわめて重要な生活基盤であった。その土地について、『聖書』はいかに語っているのであろうか。「乳と蜜の流れる土地」（「出エジプト記」三章八節）という比喩的表現は多数見られるが、より具体的には、「申命記」八章七節以下にくわしく述べられている。

それは、平野にも山にも川が流れ、泉が湧《わ》き、地下水が溢《あふ》れる土地、小麦、大麦、ぶどう、いちじく、ざくろが実る土地、オリーブの木と蜜のある土地である。不自由なくパンを食べることができ、何一つ欠けることのない土地であり、石は鉄を含み、山からは銅が採れる土地である。あなたは食べて満足し、良い土地を与えてくださったことを思って、あなたの神、主をたたえなさい。（「申命記」八章七～一〇節）

「申命記」は先に述べたように後代に書かれた文書であるから、モーセが語っている時代のカナンの状況を正確に描写しているとはいえないかもしれない。しかし、イスラエルの人々は、まったく何もない土地に入ったのではなく、先住民のいる土地に入ったのである。モーセの後継者であるヨシュアが、イスラエルの民をシケムに集めたときに語った言葉のなかに示されている。

わたしは更に、あなたたちが自分で労せずして得た土地、自分で建てたのではない町を与えた。あなたたちはそこに住み、自分で植えたのではないぶどう畑とオリーブ畑の果実を食べている。（「ヨシュア記」二四章一三節）

『聖書』以外の資料、とりわけカナンに最も深いかかわりをもつエジプトの記録は、カナンをどのように見ていたのであろうか。古王国（前二九〜前二三世紀）のペピ一世（前二三七五〜前二三五〇）につかえたエジプト軍の司令官ウニの報告によれば、

軍隊は砂漠居住者の地をたたきのめした後に無事帰還した。
軍隊はその砦《とりで》を打ち壊した後に無事帰還した。
軍隊はその地のいちじくとぶどうを切り倒した後に無事帰還した。(1)

テキストでは、砂漠居住者の住む土地には、果樹園や葡萄園《ぶどうえん》があり、また砦もあって、かなりの数の軍隊が駐留していたことになるが、おそらくシナイにはそのような土地はなかったはずであるから、ウニは砂漠からパレスチナ地方に移動したに違いない。

時代が下った中王国時代（前二一〜前一八世紀）ではどうだったのであろうか。この時代に書かれた「シヌへ物語」は、アメン・エム・ハト一世の王女で、王子センウセルトの妃《きさき》であるネフェルーにつかえる役人であったシヌへの波瀾《はらん》に満ちた生涯の物語である。

アメン・エム・ハト王が（おそらく暗殺によって）没したとき、リビヤに遠征中のセンウセルトのそばにいたシヌへは、エジプトからカナンに逃亡する。あるいは、クーデター計画を立ち聞きして、身の危険を察知したのかもしれない。カナンに行った彼はそこで成功し、最後には宮廷への帰参が許されたのであった。その彼がカナンについて次のように述べて

いる。

かれは私をその子供たちの先頭におき、長女と結婚させた。その国の中から、他の国との国境にある（土地の）うち選りぬき（の土地）から、私のために（土地を）選ばせた。それはヤーという名の美しい国であった。そこには、いちじくもぶどうもあり、ぶどう酒は水よりも豊富であった。蜜は豊かで、オリーブ油にみちていた。あらゆる果実は木にみのり、大麦もエンマー小麦もあった。あらゆる（種類の）家畜には限りがなかった。(2)

この文章から、カナン地方がかなりの農業国であったことをうかがい知ることができる。

段々畑を造ったイスラエルの民

前一五七〇年ごろ、約一〇〇年にわたるヒクソス民族のエジプト支配を打ち破って登場するのがアハメス王（前一五七〇〜前一五四六）であるが、これより新王国時代が始まる。この時代にもエジプトはカナンの農産物を搾取したようである。そのための遠征が数多くおこなわれた。

とりわけトトメス三世（前一四九〇〜前一四三六）は最も頻繁に遠征を繰り返した。彼はカルナックのアモン神殿の壁面に詳細な記録をきざみつけている。第一回目の遠征で、彼はメギドで大家畜（牛）一九二九、小家畜（山羊）二〇〇〇、白い家畜（羊）二万五〇〇〇、穀物二〇万七三〇〇袋（約一万六二〇〇トン）を獲得したという。

第二回目には、その他、香油八二三壺、ハニーワイン一七一八壺、第三回目には、カナンの動植物の標本を持ちかえったのである。第六回目の遠征先の一つであったジャヒー（北カナン）について、ここの庭には果樹が多く、ワインが絞り桶《おけ》に水のようにあり、穀物が段々畑にあり、海の砂よりも多かったと述べている。

以下同じことが遠征のたびに繰り返された。エジプトの軍事的優位がカナンを圧倒した新王国時代、これはちょうど後期青銅器時代にあたるが、カナンの町々は、エジプトの属国になっていったのである。堅固な城壁で囲まれたこれら半独立の都市は、肥沃な土地のなか、また交易路の近くに位置して、農耕地のすべてをカバーする政治的ネットワークを形成していたのである。これらの都市国家の地理的配置は、「アマルナ文書」「ヨシュア記」「士師記」の伝承から知ることができる[3]。

このような都市のネットワークの整備された地域に、後発のイスラエルが入りうる可能性はほとんどなかったと言ってよい。あるとすれば、そのようなネットワークの隙間《すきま》でしかなかった。彼らは、ヨルダン川と地中海沿岸部の間にある山地に入らざるをえなかったのである。

しかし、この厳しい条件にもかかわらず、彼らは、土地利用の仕方を工夫し、経済的拠点を形成していった。カナンの農業生活は多様であったが、イスラエルの場合は、住んだ場所の地理的条件もあって（エフライム、ユダ山地、ガリラヤ丘陵等）、森を開墾《かいこん》し（「ヨシュア記」一七章一四〜一八節、「申命記」一九章五節参照）、段々畑を造り、作物を栽培したようである。

段々畑（テラス耕法）は、フェニキア人が発明し、イスラエルに普及したと言われるが、明瞭な考古学的証拠はない。カナンでは、エルサレム周辺でエブス人が後期青銅器時代におこなっていたと言われている。

岩の裂け目、崖の穴にひそむわたしの鳩よ
姿を見せ、声を聞かせておくれ。（「雅歌」二章一四節）

山々は裂け、崖は崩れ、すべての城壁は地に倒れる。（「エゼキエル書」三八章二〇節）

ここで「崖」と訳されているヘブル語マドレガは「段々畑」を意味する単語である。「段々畑」は日本でもよく見られる、山間部の斜面に石を積み上げて畝《うね》を造ったものである。マドレガの他に、『聖書』で「野」とか「畑」と訳されているシェデマというヘブル語も、「段々畑」である〈キドロンの野〉「列王記」下二三章四節、〈キドロンの谷〉「エレミヤ書」三一章四〇節、〈ヘシュボンの畑〉「イザヤ書」一六章八節、〈田畑〉「ハバクク書」三章一七節他）。イスラエル人は、このように丘陵地帯を開墾し、山間の狭い土地に段々畑を造って、作物を栽培したと思われる。

イスラエル社会の農業的性格

イスラエル人がカナンに定着しはじめる前一三世紀の半ばは、ちょうど後期青銅器時代から鉄器時代へと移行するときであった。したがって、農具にも鉄器が使用されるようになり、その結果、山地の開墾も容易になったに違いない。

山地は森林だが、開拓してことごとく自分のものにするがよい。カナン人は鉄の戦車を持っていて、強いかもしれないが、きっと追い出すことができよう。（「ヨシュア記」一七章一八節）

ここには、鉄器の使用についての直接の言及はないが、かなり遅れたとはいえ（「サムエル記」上一三章一九節以下の記述が正しければ、サウルの時代にはまだ、鉄はペリシテ人の専売特許であった）、鉄器の使用は時間の問題であった。

イスラエル人たちは、開墾した土地において、大小の家畜の飼育（「申命記」三二章一四節、「士師記」四章一九節、五章一六、二五節、六章二五節）のほかに、穀物（「申命記」三三章二八節）、果樹、ぶどう、オリーブ、小麦も栽培したが（「申命記」三二章一四節、「士師記」六章一一節、一五章一節、「サムエル記」上六章一三節）、初期には大麦の栽培が一般的であった（「士師記」七章一三節）。

このような作物栽培は、ほとんどすべてカナン人から受け継いだものであったが、イスラエル人は栽培のローテーションなどを工夫し、農業を発展させていった。最初はもちろん自給自足であったであろう。しかし、徐々に余剰物資が蓄積されていった。この余剰物資の蓄積をバックに権力者が登場し、最終的に王国が成立するのである。

余剰物資ができることで、商業や手工業が発達し、輸入品が増加した。例えば、ソロモンは麦、オリーブ、ワインと、建築資材としての木材とを交換したのである（「列王記」上五章二五節、「歴代誌」下二章九、一四節）。余剰物資はまた、官僚、都市住民の生活維持のために使用されたが、これを容易にするために、税徴収のシステムが発達した。ダビデはユダを一二の行政区に分割し、[4]それを踏襲したソロモンは北のイスラエルを一二の行政区に分割したのである（「列王記」上四章七〜一九節）。これはすべて税徴収のためであった。

農業の発展は、経済のみならず、イスラエルの社会構造に大きな影響を与えた。王国時代、官僚機構の一員として、あるいは手工業者として雇われていた人々は町に住んでいたが、エルサレム陥落まで村落共同体は存続したし、また捕囚後もイスラエル社会の農業的性格は変化しなかったのである（「列王記」下二五章一二節、「エレミヤ書」五二章一六節）。

このように人々の生活は農業と深いかかわりをもっていたのである。農業がいかに人々の生活を規定していたかは、ヤハウェと民との間で結ばれた契約の条文のなかでの、農業と直接かかわる条文の多さから知ることができる。

人が畑あるいはぶどう畑で家畜に草を食べさせるとき、自分の家畜を放って、他人の畑で草を食べさせたならば、自分の畑とぶどう畑の最上の産物をもって償わねばならない。（「出エジプト記」二二章四節）

あなたは六年の間、自分の土地に種を蒔き、産物を取り入れなさい。しかし、七年目には、それを休ませて、休閑地としなければならない。あなたの民の乏しい者が食べ、残りを野の獣に食べさせるがよい。ぶどう畑、オリーブ畑の場合も同じようにしなければならない。（「出エジプト記」二三章一〇〜一一節）

その他、「レビ記」一九章一九、二三〜二五節、二五章二〜七節、「申命記」一四章二二〜二三、二八節、一五章一四節、二〇章六、一九〜二〇節、二二章九〜一〇節、二三章二五〜二六節、二四章一九〜二一節、二六章一〜二、一二節など多数の条文をあげることができる。

農業用語で語られる祝福と呪い

また、契約を遵守《じゅんしゅ》するならば、神ヤハウェが自然に介入し、イスラエルに繁栄をもたらしてくれるのであるが、その祝福（もしくは呪い）は農業用語で述べられる。

あなたたちがわたしの掟《おきて》に従って歩み、わたしの戒めを忠実に守るならば、わたしは時季に応じて雨を与える。それによって大地は作物をみのらせ、野の木は実をみのらせる。穀物の収穫にはぶどうの収穫が続き、ぶどうの収穫には種蒔きが続いて、あなたたちは食物に飽き足り、国のうちで平穏に暮らすことができる。……しかし、わたしの言葉を聞かず、これらすべての戒めを守らず、わたしの掟を捨て、……わたしの契約を破るならば、……あなたたちは種を蒔いてもむなしい。……わたしはあなたたちの誇りとする力を砕き、天を鉄のようにし、地を赤銅のようにする。それゆえ、あなたたちの努力はむなしく、地に作物は実らず、地上の木に実はならない。（「レビ記」二六章三〜五節、一四〜二〇節、その他、「申命記」一一章一四〜一七節、二八章一〜一八節参照）

「預言者」においては、ヤハウェの罰が農業経済の破壊として描写されている。

ぶどうを摘み、酒ぶねでしぼる人々（テーベのナクトの墓の壁画）

その日が来れば
ぶどうの木を千株も育てうるところ
銀一千シェケルに値するところもすべて
茨とおどろに覆われる。
人は弓矢を持ってそこへ行かねばならない。
茨とおどろがこの地を覆うので
鍬《くわ》で耕されていた山々にも
人は茨とおどろを恐れて足を踏み入れず
ただ牛を放ち、羊が踏み歩くにまかせる。（「イザヤ書」七章二三〜二五節）

『聖書』には、その他多くの箇所に同様の描写がある（「イザヤ書」二四章七節、「エレミヤ書」五章一七節、八章一三節、「ホセア書」二章一四節、「ヨエル書」一章七、一二節、「ハバクク書」三章一七節も参照されたい。また、自然の回復についても、「ホセア書」一四章八節、「アモス書」九章一三〜一五節、「ミカ書」四章四節、「ハガイ書」二章一九節、「ゼカリヤ書」三章一〇節、八章一二節、「マラキ書」三章一一節、「詩編」一二八編三節等も参照されたい）。

先に引用した「出エジプト記」二三章一〇〜一一節の例のなかに「乏しい者が食べ」という表現があったが、イスラエルでは「貧しい者」「寄留者」「孤児」「やもめ」等の保護が命じられている。これは、イスラエルの民の先祖がかつてエジプトで奴隷であったことと結びつく人道的規定であるが（「申命記」五章一二〜一五節の「安息日」の規定を「出エジプト記」二〇章八〜一一節のそれと比較されたい。いずれも十戒のなかの規定であるが、その理由づけが異なっていることに注目されたい）、農作物を彼らに与えることによって彼らを保護したのである。

（一）安息年の収穫（「出エジプト記」二三章一一節、「レビ記」二五章六節）
（二）畑の一部を刈り取らずに残す（「レビ記」一九章九節a、二三章二二節a）
（三）落ち穂拾い（「レビ記」一九章九節b、二三章二二節b）
（四）果樹の一部を残す、ぶどう（「レビ記」一九章一〇節、「申命記」二四章二一節）、オリーブ（「申命記」二四章二〇節）
（五）畑に束を残す（「申命記」二四章一九節）
（六）十分の一を施す（「申命記」二六章一二節）

このような人道的規定の牧歌的な例を「ルツ記」のなかに読むことができる。

イスラエル三大祭

イスラエルでは年に三度人々は聖所で祭りをおこなった。その呼び方は『聖書』の箇所によって多少異なる。「出エジプト記」二三章一四〜一六節では「除酵祭《じょこうさい》」「刈り入れ祭」「取り入れ祭」、同三四章一八〜二二節では「除酵祭」「七週祭《ななしゅうさい》」「取り入れ祭」、「申命記」一六章一〜一七節では「過越祭《すぎこしさい》」「七週祭」「仮庵祭《かりいおさい》」となっている。

「除酵祭」（マッォト）は酵母の入らないパンを食べ、出エジプトの出来事を記念する日で、「過越祭」（ペサハ）と一緒にニサン（アビブ）の月（三月）の初めに祝うが、穀物（おそらく大麦）の収穫の始まりの時期に祝った。その七週間後に祝う「七週祭」（シャブオト）は、おそらく小麦の収穫の終わりに祝った。「仮庵祭」（スコト）は、年の終わりに果樹の収穫を祝う祭りであり、同時に種蒔き期の始まりを意味した。このように三大祭は明らかに農業生活と密接に結びついている。

もう一つの祭「過越祭」も「除酵祭」と同時に祝ったと「出エジプト記」に書かれている。従来、この二つの祝祭は、前者が牧畜的起源を持つもの、後者が農耕的起源を持つものであり、後の時代になって同時に祝うようになったと考えられてきたが、農業と牧畜とがともに民の生業であると考えれば、二つが同時に祝われたとしても不思議ではないであろう。

ただし、「過越祭」がとくに出エジプトという歴史的出来事と結びつけられたことについて

月の順番	月の名称	太陽暦	祭日
第7月	ティシュリ	9～10月	1日　新年（ロシュ・ハシャナ） 10日　贖罪日（ヨム・キプール） 15日　仮庵祭（スコト） 23日　律法祭（シムハット・トーラー）
第8月	ヘシバン	10～11月	
第9月	キスレウ	11～12月	25日　光の祭（ハヌカ）
第10月	テベト	12～1月	10日　断食日
第11月	シェバト	1～2月	
第12月	アダル	2～3月	14日　プリム祭 （閏年では第2アダル月に祝われる）
第1月	ニサン（アビブ）	3～4月	15日　過越祭（ペサハ）
第2月	イヤル	4～5月	
第3月	シワン	5～6月	6日　七週祭（シャブオト）
第4月	タンムズ	6～7月	17日　断食日
第5月	アブ	7～8月	9日　悔悛の日（ティシャ・ベ・アブ）
第6月	エルル	8～9月	

ユダヤの暦

は、第二章で述べた（九四ページ以下参照）。

このような祝祭は聖所でおこなわれるのが常であったが、聖所にかかわる人々、すなわち祭司や下級祭司たちは、農作物の余剰によって養われていたといってよい。聖所と深いかかわりをもっていたレビ人（下級祭司階級）は、ある時期、自分たちの財産を持っていたと思われるが（「ヨシュア記」二一章、「民数記」三五章一～八節は理想像であろう）、後になると、人々の喜捨《きしゃ》によって暮らすようになった（「申命記」一二章一五節、一四章二七、二九節、二六章一二～一三節）。

祭司やレビ人に対する献げ物の規定（「申命記」一八章一～八節、「民数記」五章八～一〇節、一八章八～二四節その他）が実際にどの程度履行《りこう》されたのか、詳細なことはわからないが、サムエルの時代にはある程度守られていたし（「サムエル記」上二章一二節以下）、「歴代誌」下三一章二～二一節では、ヒゼキヤ王（前七一五～前六八七）が改革の一部として「祭司とレビ人の受けるべき分を提供するように命じた」と記されている。ネヘミヤ（前四四五～前四三三、エルサレム総督）の改革の際にも同じことが命じられている（「ネヘミヤ記」一〇章三六～四〇節）。

この規定が古くからあったのか、後代になってできたものなのか、断定できないが、いずれにせよ、また規定の有無にかかわらず、神殿につかえる人々は余剰物資によってその生活を支えられていたことは確かであろう。

くじ引きで分配される土地

では、このような農業をおこなうための耕作地を、人々はいかなる形で所有していたのであろうか。実はこの土地所有形態については、わからないことが多い。イスラエル全体の土地が「くじ」によって十二部族に分割されたという「ヨシュア記」一三～一九章の記述は、王国時代のイデオロギー化であると考えてよいであろう。(5)

ただ、この記述は、各氏族のなかで共同で使用されていた土地が、定期的なくじ引きによって再配分される習慣のあったことを示唆している。あるいは、逆に、くじ引きをしたという記述から、土地が共同使用されていたと考えるべきかもしれない。例えば、小家畜飼育者ならば、共同の牧草地を持っていたことが想像できよう。

あるいは、農民たちが最初に共同作業で開墾した耕作地は、共同の所有地であり、くじ引きによって土地利用を割り当てたのかもしれない。しかしながら、すべての土地が共同所有であったのではない。「ヨシュア記」一五章一五〜一九節＝「士師記」一章一一〜一五節によれば、土地取得は個人によってもおこなわれているからである（また、庭、ぶどう畑は最初から、あるいはきわめて早い時期から、家族に属する私有財産であった。例えば、ぶどう畑などは個人的な栽培育成を必要とし、くじ引きにすることは不可能であった）。

したがって、私有地がイスラエルにも存在していたが、それは、アハブ王（前八六九〜前八五〇）が隣接する世襲地の所有者ナボトを殺害し、その土地を奪取したナボト物語（「列王記」上二一章）が示すように、世襲地（「嗣業」、ナハラー、アフザ）として断固として守られたのであった。ナハラーの動詞形「所有する、相続する」を意味するnhlは、古代オリエントで一般にもちいられていて、イスラエル独自の用語ではないが、イスラエルでは特別の意味を持っていた。

「ヨシュア記」一九章五一節によれば、ナハラーとは、「祭司エルアザル、ヌンの子ヨシュアおよびイスラエル諸部族の家長たちが、シロの臨在の幕屋の入り口で、主の前においてくじを引き、受け継いだ嗣業の土地である」と書かれている。このナハラーを継ぐのは、長男であったが（「申命記」二一章一七節）、それを弟に譲渡することは可能であった（「創世記」二五章三一〜三四節、二七章）。

また、子供なしで死んだ場合には、弟が継承するが、弟がいない場合には、伯父が、それも不可能な場合には、「嗣業の土地を氏族の中で最も近い親族に与え」る（「民数記」二七章一一節）といわれている。息子がいなくて、娘しかいない場合には、同族のものと結婚するという条件で継承を許された事例もある（「民数記」二七章一～八節、三六章一～九節）。ちなみにイスラエルにはレビラート婚（息子ができないままで夫を失った妻が、夫の兄弟と結婚する制度）という制度があるが、これも土地を他の部族に移行しないための努力の表れと言えるかもしれない。

売った土地が戻るヨベルの年

このように土地は父から子へと受け継がれていったのであるが、その土地を手放さざるをえない切迫したケースも起こりえた。例えば、旱魃《かんばつ》、いなごの害、戦争等による収穫減など、零細農民は種子にも事欠くことがあったにちがいないからである。

そのような場合でも、土地を売る前にまず自分自身（「レビ記」二五章三九節）、あるいは子供（「出エジプト記」二一章七～一一節）を奴隷として売るのであるが、土地も結局は売買されるようになった。しかし、これには「買い戻し」（ゴーエール）という規定がついている。

土地を売らねばならないときにも、土地を買い戻す権利を放棄してはならない。土地はわたしのものであり、あなたたちはわたしの土地に寄留し、滞在する者にすぎない。あなたたちの所有地においてはどこでも、土地を買い戻す権利を認めねばならない。もし同胞の一人が貧しくなったため、自分の所有地の一部を売ったならば、それを買い戻す義務を負う親戚が来て、売った土地を買い戻さねばならない。もしその人のために買い戻す人がいなかった場合、その人自身が後に豊かになって、自分で買い戻すことができるようになったならば、その人は売ってからの年数を数え、次のヨベルの年までに残る年数に従って計算して、買った人に支払えば、自分の所有地の返却を受けることができる。しかし、買い戻す力がないならば、それはヨベルの年まで、買った人の手にあるが、ヨベルの年には手放されるので、その人は自分の所有地の返却を受けることができる。(「レビ記」二五章二三〜二八節)

イスラエルには以上のようなヨベルの年という制度が存在した。七日目ごとに「安息日」を守るように、七年目の年を「安息年」と呼んでいたが、この安息年を七回繰り返したあとの五〇年目が「ヨベルの年」であった。現在我々は五〇年目をJubileeといって祝うが、このジュビリーはJobel(角笛)というヘブル語から来ているのである。

「レビ記」の規定では、このヨベルの年には国中に雄羊の角笛を鳴り響かせ、全住民に解放が宣言された。人々は先祖伝来の所有地に帰り、家族のもとに帰った。すなわち債務奴隷となっていた者はその債務がゆるされ、売却した土地は自分のもとに戻ってきたのである。五〇年目に売った土地が返ってくるということは、我々が意味する「売却」とは異なって、最大五〇年の「貸与」ということを意味していた。

したがって、土地の価格は、ヨベルの年までの年数によって決定されたが、土地は耕作地として「売却」されたのであるから、その土地がどれほどの農作物を生産するか、つまりその土地の産高に依存していた（「レビ記」二五章一五～一六節）。したがって、例えば、一年に一〇〇シェケルの穀物がとれる土地の場合、一ヨベル年（五〇年）五〇〇〇シェケルの価格がつくが、ヨベルまで五年を残すのみであれば、土地の価格は五〇〇シェケルということになる。

さらに、畑と町のなかの地所との取り扱いには違いがあった。町のなかの家は一年以内に買い戻されない場合は、買った者の所有になったが、城壁のない村のなかの家の場合には、畑と同じであった（「レビ記」二五章二九～三一節）。

大土地所有者としての王

土地が現実に「売買」されたことは事実であろうが、このヨベルの規定が実際に施行されたかどうかはわからない。例えば、ゼデキヤ王（前五九七～前五八七）の時代に宣言された奴隷解放が、このヨベルの年の規定の実施であったのかどうか明白ではない（「エレミヤ書」三四章八節以下）。あるいは、この規定は理想的な規定で、後の時代に作られた可能性もあるが、その根底には、先程の引用のなかに出てくる「土地はヤハウェのものである」という基本的な考えがあることは明らかである。

さて、以上見てきたように、イスラエルの民は基本的に農耕を中心とした生活を送っていたが、イスラエルの民すべてが土地所有者であったわけではない。意識的に定着生活を拒否したレカブ人（「エレミヤ書」三五章八～一〇節）やケニ人を別にすれば、日雇い（「レビ記」一九章一三節、「申命記」二四章一四節）、年期奉公（「レビ記」二五章五〇、五三節、「イザヤ書」一六章一四節、二一章一六節）もあったし、イスラエル人だけでなく、外国人も多数存在していた。

外国人は別として、このように土地を持たないイスラエル人が多数いたということは、逆に、それらの土地を買い入れた人たちがいるということを意味する。「イザヤ書」五章八節が示すように、大土地所有者が土地を買い増していたし、エルサレム周辺でも土地所有者のいたことは、エレミヤのアナトトの土地購入から推察することができる（「エレミヤ書」三二章六～一四節）。

また、考古学的にも、個人の土地所有者から送られてきた日用品の受け取り（サマリア・オストラカ）などから、個人の土地所有が前八世紀の中頃には存在したことがわかっている

（八六ページ図参照）。

そのような大土地所有者の最たる人が王であった。イスラエルの歴史上最初の王はサウルであったが、「サムエル記」上の記述によれば、最初彼は父のロバの世話をする者であるにすぎないし（「サムエル記」上九章三節）、畑も耕している（同一一章五節）。しかし、彼の治世の終わりには、多くの土地財産を所有していたと記されている（「サムエル記」下一二章八節。ちなみにダビデがこの財産を継承した）。サウルはまた家臣に土地を与えた最初の人でもあった。彼らはいかなる方法で土地を入手したのであろうか。

（一）ダビデのエルサレム占領のような武力による入手。モアブ（「サムエル記」下八章二節）、ダマスコ（同八章六節）、エドム（同八章一四節）

（二）後継者のいなくなった土地の収用。シュネムの婦人の土地（「列王記」下八章一～六節）

（三）購入。アラウナの土地（「サムエル記」下二四章二四節＝「歴代誌」上二一章二二～二四節）、セメル（「列王記」上一六章二四節）、ナボト（同二一章六節）

（四）交換。ソロモンとヒラム（「列王記」上九章一一～一四節）、アハブとナボト（同二一章二節）

（五）贈与。ソロモン、ファラオからゲゼルをもらう（「列王記」上九章一六節）、ツィクラグ（「サムエル記」上二七章五～一〇節）

（六）反逆者からの没収。メリバアル（「サムエル記」下九章七節、一六章四節）、ナボト（「列王記」上二一章）。

王が土地を奪う

王家による土地の収奪がいかに過酷なものであったか。そのことを端的に示しているのが、「列王記」上二一章のアハブ王（前八六九～前八五〇）がナボトの土地を奪った記述である。この物語の舞台は、イズレエル平野部にあるアハブの宮殿と、その近くにあるナボトのぶどう畑である。アハブは、サマリアを首都としていたが、イズレエルにも宮殿を持っていた。

最初王はナボトに対し、ぶどう畑の譲渡もしくは換地を求めるが、ナボトがこれを拒否したため、アハブの妻イゼベルはアハブ王の名で長老たちを招集し、ナボトが神と王とを冒瀆《ぼうとく》したという罪名で、彼に死刑の判決を下させ、彼を石打ちの刑に処し、その土地を没収してしまう。前述したように、ナボトはナハラーである自分の土地を断じて売ることを拒否したのである。

一方、アハブはどう対処したのか。物語では、彼は優柔不断で、ナボトの拒否に食事もできぬほど落ち込んでいたと書かれている。しかし、アッシリア王シャルマネゼルの遠征記録によれば、アハブは戦車二〇〇〇両を所有し、アラム諸国のなかでは最大の軍備を誇った王であった。彼はまた地中海への植民政策を展開しはじめていたフェニキアの港湾都市との結びつきを求め、その一環としてシドンの王エトバアルの娘イゼベルと結婚し、同盟したのである。

このような王が簡単に落ち込むはずがない。ここには、外国人の妻を「マクベス夫人」に仕立てようとする語り手の明らかな意図を見いだすことができる。『聖書』によれば、イゼベルは理不尽な手段を取ったという。しかし、彼女はけっして無理やりに自分の方法を押し通したのではないのである。

実は、彼女は自分が属していたカナンの土地法を利用したのである。ラス・シャムラから、青銅器時代末期の土地法に関する情報を含むいくつかのテキストが発掘されているが、それを見てみると、次のようなテキストがある。(6)

本日をもって
ウガリットの王ニクマドゥは、サククスの子ウルガナヌの家、土地、ぶどう畑、オリーブ畑、果樹園、その他一切のものを与える。
彼はそれを石投げ兵士の子ガバヌに与える。書記ヤタルムが、その主君たる王の敵となったとき、ガバヌは彼を殺し、また（同じく）ベカ・イシュタルをその主君に戻した。
彼の判決の故に、その土地はガバヌとその子のものとなる。

ウガリットでは、処刑者の所有物は、王の手に戻されることになっていた。王は、それらを自由に処分することができたから、ここでは、ガバヌに与えられている。しかし、自分で所有することも可能であった。

本日をもって
ウガリットの王、ニクメパの子アンミスタムルはフルの土地を作りだした。その〔城〕、オリーブ畑、ぶどう畑、果樹園、その他一切のものとともに、王アンミスタムルはこれをイリステブとその子らに永久に与える。以後、何人もこれをイリステブとその子の手から奪ってはならない。イリステブとその子ら、またその子らは、永久に王妃の子たちの〔奉仕に〕責任をもつであろう。ウガリット王、ニクメパの子アンミスタムルの印
　書記　ヤディドゥ

農業から生まれたソロモンの王国

このテキストでは、王の側からの「贈与」が語られているだけでなく、受領者が提供しなければならない義務についても書かれている。土地の分配には、種々の義務、とりわけ軍

務、宮廷での奉仕、すなわち宮廷維持のための費用分担が結びついている。逆に考えれば、義務履行には、土地の分配がついていたということになる。

この二つのテキストは、ナボト事件に光を投じてくれる。つまり、イゼベルはナボトを処刑することによって、その土地を没収したのである。「列王記」下八章一～六節には、逃亡者の土地が没収されて直領地に編入された例が示されている。このように、王たちは、イスラエル古来の土地法を無視して、強引に財産を増加させていったのである。

このようにして獲得した土地を、彼らはいかに管理したのであろうか。ダビデの場合、王になるとまず官僚組織を作るが（「サムエル記」下八章一六～一八節＝「歴代誌」上一八章一五～一七節、「歴代誌」上二七章三二～三四節）、そのなかには、王の財産を管理する長官がいたと思われる（「歴代誌」上二七章二五～三一節）。

ソロモンはこの組織を拡大し、一二人の知事を選んでいるが、これらの一二の行政区は北部の農業地帯に集中している。これらの地域をいかに重要視したかは、一二人の知事のうちの二人までもが、ソロモンの娘と結婚していることからも理解できるのである（「列王記」上四章）。

以上見てきたように、イスラエルの民は定着後最初は自給自足の細々とした農業をおこなっていたが、余剰物資の増大とともに徐々に裕福な層が成立し、王国が建設され、ソロモンの時代には農業を基盤とする大国が出現したのである。このような農業の発展が、社会に大きな影響を与えたことについてはすでに見たとおりであるが、宗教的にも重大な影響を及ぼしたのである。

豊穣信仰

農業を支えるイデオロギーとはいかなるものであろうか。穀物の実りを求める農業は、太陽、雨の恵み、すなわち自然の恵みなしには成り立たない。したがって、農業を支える信仰は豊穣信仰である。もちろん、牧畜には豊穣信仰がいらないというわけではない。家畜の繁殖を望まない家畜飼育者はいないし、家畜の飼育にも、牧草や水を欠かすことはできないからである。自然の恵みに依存している点では農業と同様である。

しかしながら、農作ほど季節の移り変わりに依存しているものはないであろう。例えば日本では、田植え時に稲の成長を祈願する春祭をおこない、収穫時には神々への感謝をささげる秋祭をおこなう。これは季節の移り変わりが農作に密接に関係していると熟知していたからである。

カナンでも農業にかかわる祭りがおこなわれた。祭りがいかなるものであったのか、今ではもう推察するよりほかないが、その手掛かりになるものは残されている。北シリアのラス・シャムラから多数の粘土板が発掘され、そこにウガリット文明が栄えていたことがわかったが、その「ウガリット文書」のなかに「バアルとアナト」という神話がある(7)。

ただし、何枚かの粘土板に書かれているため、その順序は明確ではないから、むしろ、これらは「バアルとアナト」をめぐる神話群の集成であって、もともと順序がなかったのかもしれない。

年をとって引退しかけている神イルウ（＝エル）の王位継承を巡って争いが起こる。雨と嵐をつかさどる神がバアルである。川をつかさどる神がヤム、そして、泉や地下水をつかさどる神がアシュタルである。

まずバアルとヤムとが争い、バアルがヤムを打ち破る。そのあとで、アシュタルが出てきて、雨も降らず、川の水もかれたときにいちばん役に立つのが私だといって名乗り出るが、若すぎるために拒否されてしまう。バアルがヤムを打ち破ったとき、自分には住むべき宮殿がないので、造ってほしいとイルウに願い出て、認められる。

そこで、二人の建築の神が呼ばれ、仕事にかかるが、バアルは、もしヤムが生きていて、侵入してきては困るので、窓を造らないことにする。しかし、ヤムを完全に殺したのちに結局窓を造ることにした。

バアルが勝利の祝宴をあげたとき、彼は、旱魃《かんばつ》の神であり死の神であるモートを招待しなかった。ところが、モートは窓から侵入してバアルを殺してしまうのである。そこで凶作が七年間続くことになる。その後、バアルの配偶神アナトがモートを打ち破ったため、バアルが復活する。そして七年間の豊作が続く。

この神話では自然の移り変わりと神々の戦いとが密接に結びついている。バアルが生きているあいだは自然も生きているのであるが、モートが支配すると、自然は乾燥してしまう。イスラエルの自然は雨期（一〇月から三月）と乾期（四月から九月）とが交替するのである（ちなみに、七年の豊作と七年の凶作という話は、「創世記」のヨセフ物語にも出てくる）。ところで、この粘土板のある箇所には、この神話が劇として演じられたことを示すメモがついている。それゆえ、バビロンの新年祭に演じられた創造神話と同じように、毎年あるいは七年ごとに演じられ、豊作が祈願されたのかもしれない。そして、農業的豊作だけでなく、王権更新を祝う祭儀であった可能性も考えられるのである。

農業が決めた一年のサイクル

イスラエルでも、農業は季節の周期と関係していた。一九〇八年にエルサレムの北西三〇キロの遺跡ゲゼルから、「農事暦」が刻まれた碑文が発見された。正字法からこのカレンダーは紀元前九二五年頃のもの、つまりソロモン時代の末期のものらしいのであるが、学校の生徒が練習用に書いたものではないかと言われている。全部で七行からなっている[8]（一四七ページ写真参照）。

yrhw ʼsp/yrhw z　（オリーブの）収穫の二た月　九〜一〇月

／（穀物の）種蒔の二た月　一一～一二月
r '/yrhw lqs　（豆・野菜の）遅蒔の二た月　一～二月
yrh 'sd pst　干し草刈りの月　三月
yrh qsr s'rm　大麦刈りの月　四月
yrh qsr wkl　（小麦）刈りの月　五月
yrhw zmr　ぶどうの収穫の二た月　六～七月
yrh qs　夏の果物の月　八月

これは各月の名称ではないが、この暦から、ソロモンの時代には一年のサイクルが農業によって決まっていたと想定できる。以前に述べたイスラエルの三大祭もすべて農業と関係していたことを思い出してもらいたい。

ゲゼルの農事暦（石灰石に刻まれている）

農業神バアルの台頭

カナンに定着した民にとって、小家畜飼育者の神であるヤハウェよりも、農耕と深いかかわりのある農耕神バアルのほうが、より身近な存在となったに違いない。前六二二年、ユダの王ヨシヤが宗教改革をおこなったが、その出来事について次のような記述が記されている。

王は大祭司ヒルキヤと次席祭司たち、入り口を守る者たちに命じて、主の神殿からバアルやアシェラや天の万象のために造られた祭具類をすべて運び出させた。彼はそれをエルサレムの外、キドロンの野で焼き払わせ、その灰をベテルに持って行かせた。王はユダの諸王が立てて、ユダの町々やエルサレム周辺の聖なる高台で香をたかせてきた神官たち、またバアルや太陽、月、星座、天の万象に香をたく者たちを廃止した。彼はアシェラ像を主の神殿からエルサレムの外のキドロンの谷に運び出し、キドロンの谷で焼き、砕いて灰にし、その灰を民の共同墓地に振りまいた。彼は主の神殿の中にあった神殿男娼の家を取り壊した。そこは女たちがアシェラ像のために布を織っていたところでもあった。(「列王記」下二三章四〜七節)

この記事から、神殿には、カナンの農業神であるバアルやアシェラの像が所狭しと安置されていた様子が想像できる。農業を主体とする農業立国にとって、農耕神は重要であった。したがって、ヨシヤ以前の王たちは、国家の安泰《あんたい》を願ってそれらの神像を安置したのである。それは当然のことであり、疑う者は誰一人存在しなかったであろう。

また、神殿には神殿男娼がいたと記されている。おそらく女娼もいたに違いない。このことは、神殿では性が重要視されたことを示している。性は農耕神とは密接な関係にあるからである。

前八世紀の半ば、北王国イスラエルで活動した預言者ホセアは、そのような宗教との結びつきを「淫行」という言葉で表現している。

ぶどう酒と新しい酒は心を奪う。
わが民は木に託宣を求め
その枝に指示を受ける。
淫行の霊に惑わされ
神のもとを離れて淫行にふけり
山々の頂でいけにえをささげ
丘の上で香をたく。（「ホセア書」四章一一～一三節）

ホセアは自然宗教の優しさを知っていた。しかし、同時にその害も熟知していたのである。彼は「淫行」のない生活について、「王も高官もなく、いけにえも聖なる柱もなく、エフォドもテラフィムもなく過ごす」生活であると述べているが（同三章四節）、石柱・木柱は性的シンボルであったし、エフォドは元来それらの柱に掛ける着物であったという説もある。

テラフィムは小さな神像で、「彫像や鋳像《ちゅうぞう》は主のいとわれるものであり、これを造り、ひそかに安置する者は呪われる」と禁止されていた像のことである（「申命記」二七章一五節、なお「創世記」三一章一九節も参照）。ここでは明らかに、そのような性と結びついた自然宗教と王国（「王も高官もなく」）との関係が弾劾されているのである。

それゆえ、わたしは彼女をいざなって
荒れ野に導き、その心に語りかけよう。
そのところで、わたしはぶどう園を与え
アコル（苦悩）の谷を希望の門として与える。
そこで、彼女はわたしにこたえる。
おとめであったとき
エジプトの地から上ってきた日のように。
その日が来ればと
主は言われる。

あなたはわたしを、「わが夫」と呼び
もはや、「わが主人（バアル）」とは呼ばない。
わたしは、どのバアルの名をも
彼女の口から取り除く。
もはやその名が唱えられることはない。（「ホセア書」二章一六～一九節）

ヤハウェの農業神化

イスラエルがエジプトから出てきたとき、ヤハウェとイスラエルとの関係は夫婦の愛の関係であったが、王国時代になって、ヤハウェが忘れ去られ、バアルがその名のとおり、イスラエルの主人になってしまった。そしてイスラエルはその奴隷に成り下がってしまった。そこでホセアは、神がもう一度イスラエルを荒れ野に導き出して、その夫婦関係を取り戻そうと呼びかけておられると語っているのである。

このようにホセアは、カナンの宗教とヤハウェ宗教との違いを自覚していたが、一般的には、ヤハウェとバアルとの区別がつかなくなっていたというのが実情であったかもしれない。ヤハウェがバアル化していったということである。その例を見ておきたい。

神は立ち上がり、敵を散らされる。

神を憎む者は御前から逃げ去る。
煙は必ず吹き払われ、蠟《ろう》は火の前に溶ける。
神に逆らう者は必ず御前に滅び去る。
神に従う人は誇らかに喜び祝い
御前に喜び祝って楽しむ。
神に向かって歌え、御名をほめ歌え。
雲を駆って進む方に道を備えよ。
その名を主と呼ぶ方の御前に喜び勇め。（「詩編」六八編二～五節）

ここには軍神ヤハウェの姿が見られる。「立ち上がり、敵を散らう」すという表現は、「民数記」一〇章三三節以下で「神の箱」について使われている言葉と同じである。ちなみに、「神の箱」はペリシテ人との戦争のときにかつぎだされている（「サムエル記」上四章）。

しかし、ここで重要な点は、「雲を駆って進む方」という表現である。口語訳では「雲に乗る者」と訳されているが、ここの原語は「ロケーブ・アラボース」となっている。「ロケーブ」は「乗る者」、「アラボース」は「荒野」を意味する。したがってこれを直訳すれば、「荒野に乗る者」となって、意味がうまく通じない。それで、この「アラボース」から「ラ」をとって、「ロケーブ・アボース」として「雲に乗る者」と訳してきた。アボースは

「雲」という意味である。

これは本文の読み替えであるが、ウガリットの神話の中に「ロケーブ・アラポース」（雲に乗る者）という表現がバアルの形容句として頻繁に出てくることがわかったのである。雨と嵐をつかさどる神バアルのシンボルとして、バアルは豊穣を表す牛の角がついたヘルメットをかぶり、手には嵐を表す雷の稲妻を持っている。そして、雲の上に乗って走る[9]。

雲の上に乗り、左手に雷光を持つバアル（左）と豊穣の女神（右）

この「詩編」では、そのバアルの形容句がヤハウェの形容句としてもちいられているのである。ヤハウェもまた、雨をもたらし、嵐を呼ぶ方として讃えられているのである（六八編一〇節以下参照）。これは一例にすぎない。

このように見てくれれば、主流であったヤハウェ宗教が、王国成立とともに、マイノリティーの宗教となったとも言えるし、あるいはカナン化していったとも言えるであろう。そして、それは、宗教上の問題だけではなく、王国を支えるイデオロギーの問題でもあった。部族連合から王国への移行の時代を前にして、預言者サムエルは、王国の建設を求める民に対して、その警告の最後にこう言っている。

こうして、あなたたちは王の奴隷となる。その日あなたたちは、自分が選んだ王のゆえに、泣き叫ぶ。しかし、主はその日、あなたたちに答えてはくださらない。（「サムエル記」上八章一七b〜一八節）

せっかく、奴隷生活から解放される社会を作ったにもかかわらず、また元の奴隷生活へと戻ってしまう。いや、それればかりか、イスラエルは強大な国家となって、奴隷を生み出す国へと戻ってしまったのである。農業立国の根底にはそのような本質が潜んでいるのである。

ソロモンの栄華と王国の分裂

このような農業王国を創始したのはダビデ王であるが、それを完成の域にまで高めたのが、ダビデを継いだソロモンであった。彼は都エルサレムの整備に取りかかった。

まず神殿建設に取りかかるが、その準備段階としてティルスの王ヒラムと協約を結び、穀物類を輸出する代わりに、建築材としてのレバノン杉の輸入を確保した。その伐採のために彼は、イスラエル全国に労役を課した。男子三万人を徴用し、彼らを一万人ずつの三班に分けて、一ヵ月をレバノンでの杉の伐採に従事させ、二ヵ月を家で待機させた。

その他、神殿の土台のための石を切り出す労働者八万人、運搬人七万人が徴用された。レバノン杉の伐採や石の切り出しには、ヒラムの石工たちやゲバル（ビブロス）の技術者たちの技術的援助があったようである。おそらく、イスラエルではそのような技術はまだ未発達であったからである。

ソロモン神殿を想起させるヘロデ神殿の模型（エルサレムのホーリー・ランド・ホテル）

神殿の構造は、前室、聖所、至聖所の長方形（間口一〇メートル、奥行き四〇メートル、高さ一五メートル）から成っているが、この構造様式はハツォルなどの発掘などからわかるように、フェニキア地方、つまりティルスやシドンの様式を導入したものである。この神殿の建設のために、七年の歳月が費やされた。

この神殿の完成後、彼は宮殿の建設に取りかかる。「レバノンの森の家」と呼ばれるこの宮殿は、間口二五メートル、奥行き五〇メートル、高さ一五メートル、さらにそのまわりに脇廊、柱廊があり、その外に、彼が裁判をおこなう「王座の広間」「裁きの広間」もあって、それらすべての柱、壁板、床板にはレバノン杉がふんだんにもちいられていたという。

床面積と天井の面積の合計は二五〇〇平方メートル、さらに壁の面積は、窓と入口を度外視すれば、二二五〇平方メートル、総合計は四七五〇平方メートルの板が必要となる。その外にも柱や梁《はり》にもレバノン杉がもちいられた。

この宮殿の建設には、神殿の建設に倍する一三年の歳月が費やされ、その規模といい、ソロモン国家がいかに王家を中心としたものであったかが理解できるであろう。「列王記」上九章一〇節以下には、ソロモンがティルスの王ヒラムに、ガリラヤ地方の二〇の町を贈ったと記されている。それほど、レバノン杉が高価だったということである。

このような栄華にもかかわらず、ソロモンが死亡すると（前九二二年、九二六年という計算方法もある）王国は南北の二国家に分裂してしまう。あまりに過酷な徴役や課税に苦しめられたエフライムを中心とした北の地方が、ユダを中心とする南王国にクーデターを起こしたからである。

その中心人物はソロモンの家臣であったヤロブアム（前九二二〜前九〇一）であるが、その背後にあってこの反乱を支援した預言者アヒヤの存在を無視することはできない。ユダ王国では、ナタン預言が王国の最後にいたるまで有効であったが、北王国では、王朝が頻繁に交代した。その都度、預言者が大きな影響を及ぼしたのである。

それはともあれ、強制労働の結果、住民の多数が土地を離れ、日々の農作に従事できなくなると、農業が成り立たなくなってしまう。また、長期不在によって土地所有の形態が変化してしまいかねない状況が出てきたのである。

イスラエルの民がユダの王レハブアム（前九二二〜前九一五）に反抗し、その監督アドニラムを殺害したのは、土地を失う不安がその根底にあったためと言えるであろう。

イスラエルの民が農耕と深いかかわりをもつようになって、彼らの社会も大きく変化した。貧富の差の少ない小家畜飼育者の集団から、貧富の差の大きな社会が誕生したのである。王国はまさにそのような社会であった。彼らの神ヤハウェも農耕とのかかわりを持たざるをえなくなり、カナンの農耕の神バアルとの同化も進んだ。

このような同化を支持したのはソロモン王国の支配者層であった。このような王国の在り方に批判の声を上げたのが、預言者たちである。それについては次章でくわしく述べることにしよう。

第五章　審きの神——王国の発展と選民思想の強化

ユダヤ民族の「憲法」としての十戒

王国時代は経済的に豊かな時代であった。人々は自分たちが奴隷であったことを忘れ、むしろ「選ばれた民」であることを誇った。このような「選民思想」を批判したのが、預言者たちである。とりわけアモスは、社会不正と結びつけてこれを批判したのである。

彼らはまた、ダビデ王国そのものにも批判の矢を向け、新しい王国の到来を預言した。それが「メシア思想」の起源であるが、本章ではメシアの本来的意義を考察し、ダビデに与えられた「ナタン預言」が果たした役割について述べることにしよう。

時間を少し戻そう。エジプトを脱出した民は、葦《あし》の海（伝統的には紅海とされているが、「葦の海」は紅海とは異なる）の奇跡を経て、シナイ山（「申命記」では「ホレブ山」と呼ばれている。実際のシナイ山がどの山であるのか確定してはいないが、伝統的には「ジュベル・ムーサ」〔アラブ語で「モーセの山」の意〕とされている。七九ページ写真参照）に到着し、そこでモーセは神から十戒を授けられる。

神はこれらすべての言葉を告げられた。

「わたしは主、あなたの神、あなたをエジプトの国、奴隷の家から導き出した神である。

あなたには、わたしをおいてほかに神があってはならない。

あなたはいかなる像も造ってはならない。

あなたの神、主の名をみだりに唱えてはならない。

安息日を心に留め、これを聖別せよ。

あなたの父母を敬え。

殺してはならない。

姦淫してはならない。

盗んではならない。

隣人に関して偽証してはならない。

隣人の家を欲してはならない」。（「出エジプト記」二〇章一～一七節）

この十戒でまず注目すべきところは、最初に付されている序文である。

わたしは主、あなたの神、あなたをエジプトの国、奴隷の家から導き出した神である。

十戒は神の言葉であり、この序文もまた、神の言葉として表明されていることは明らかである。しかし、この文章を、民の側からの言葉として読むならば、自分たちがかつて奴隷であったことを明らかにしていると読むことができる。

十戒は憲法に匹敵するものであろう。その憲法の前文に、自分たちが奴隷であったことを書き記した国がかつて他に存在したであろうか。その意味では、きわめて異例の告白であると言わざるをえない。

奴隷にして選民

ところで、ユダヤ民族は「選民思想」をもった民族であるとも言われる。自分たちが神によって選ばれた民であるという思想である。「選ばれた民」とは現代風に言えば、エリートのことである。しかし、『聖書』では、「選ぶ」には「選良」という意味はほとんど含まれていない。

もちろんそのような「選良」意識が皆無であったということもできないであろう。そのことについては後に触れる。ただ、ここでは、この「選ばれた」が、ユダヤの民が奴隷の状態から救い出されたことと深く関係していることを述べておきたい。「選び」は、奴隷の家から導き出した神の恵みの業《わざ》として意識されている。あくまでも神の業であって、民の何らかの徳によるのではけっしてないのである。

あなたは、あなたの神、主の聖なる民である。あなたの神、主は地の面にいるすべての民の中からあなたを選び、御自分の宝の民とされた。主が心引かれてあなたたちを選ばれたのは、あなたたちが他のどの民よりも数が多かったからではない。あなたたちは他のどの民よりも貧弱であった。ただ、あなたに対する主の愛のゆえに、あなたたちの先祖に誓われた誓いを守られたゆえに、主は力ある御手をもってあなたたちを導き出し、エジプトの王、ファラオが支配する奴隷の家から救い出されたのである。(「申命記」七章六〜八節)

ここでは、「選び」が民の側に資格があったから与えられたのではないことを明瞭に述べている。このように、ユダヤの民は、自分たちが、あるいは、自分たちの先祖が奴隷であったことを繰り返し言明するのである。もちろん、これらの言葉は、「選民」であると自負しているイスラエルの民に対する批判の言葉ととることもできる。

預言者アモスの「選民」批判

このような選民意識を強烈に批判したのは預言者アモスであった。彼はホセアと同様紀元前八世紀の半ば、ユダ出身であるにもかかわらず、北王国の国家聖所のあるベテルで預言活動をおこなったため、そこから追放されることとなった。

イスラエルの人々よ
主がお前たちに告げられた言葉を聞け。
……………
地上の全部族の中からわたしが選んだのは
お前たちだけだ。
それゆえ、わたしはお前たちを
すべての罪のゆえに罰する。(「アモス書」三章一～二節)

アモスが活動した当時の北王国は、あと三〇年の後にはアッシリアによって滅ぼされてしまう運命にあったのだが、ヤロブアム二世(前七八六～前七四六)の統治のもと、最後の繁栄の時代を謳歌《おうか》していた。したがって、この言葉を聞いたイスラエルの民は大いに驚いたに違いない。

この繁栄は、彼らが神によって選ばれている証拠であると受け取り、通常ならば、「それゆえ、わたしはお前たちを、いかなる罪があっても罰することはない」という帰結を、預言者の口から期待したに違いないからである。ところが、アモスはそのような期待を「すべての罪のゆえ」に完全に否定するのである。では、その罪とは何か。

彼らは町の門で訴えを公平に扱う者を憎み
真実を語る者を嫌う。
お前たちは弱い者を踏みつけ
彼らから穀物の貢納《こうのう》を取り立てるゆえ
切り石の家を建てても
そこに住むことはできない。
見事なぶどう畑を作っても
その酒を飲むことはできない。
お前たちの咎《とが》がどれほど多いか
その罪がどれほど重いか、わたしは知っている。
お前たちは正しい者に敵対し、賄賂《わいろ》を取り
町の門で貧しい者の訴えを退《しりぞ》けている。
それゆえ、知恵ある者はこの時代に沈黙する。

まことに、これは悪い時代だ。

善を求めよ、悪を求めるな
お前たちが生きることができるために。
そうすれば、お前たちが言うように
万軍の神なる主は
お前たちと共にいてくださるだろう。
悪を憎み、善を愛せよ
また、町の門で正義を貫け。
あるいは、万軍の神なる主が
ヨセフの残りの者を憐《あわ》れんでくださることもあろう。（「アモス書」五章一〇～一五節）

イスラエルの社会は歪んでいる

町は壁で囲まれ、町への出入口である「門」には広場があって、民の訴訟や事件は、この広場に集まった長老たちによって審議されていたようである。「町の門で訴えを公平に扱う者」や「貧しい者の訴え」が退けられ、賄賂がまかりとおり、賄賂を贈れない貧しい者の訴訟は聞き入れられない。つまり、裁判が不正におこなわれているのである。

ヤロブアム二世の時代、貧富の差は極限に達していた。貴族たちは「象牙《ぞうげ》の寝台に横たわり、長いすに寝そべり、羊の群れから小羊を取り、牛舎から子牛を取って宴《うたげ》を開き、竪琴《たてごと》の音《ね》に合わせて歌に興じ、ダビデのように楽器を考え出す。大杯《たいはい》でぶどう酒を飲み、最高の香油を身に注ぐ。しかし、ヨセフ（イスラエルのこと）の破滅に心を痛めることがない」（同六章四〜六節）。

一方、貧しい者たちは「靴一足の値」で売られ、頭を地の塵《ちり》に踏みつけられているありさまであった（同二章六節、八章四節）。「罪」とはなにか。社会に悪がはびこり、善や正義がないことである。

災いだ、主の日を待ち望む者は。
主の日はお前たちにとって何か。
それは闇であって、光ではない。
人が獅子の前から逃れても熊に会い
家にたどりついても
壁に手で寄りかかると
その手を蛇にかまれるようなものだ。
…………

わたしはお前たちの祭りを憎み、退ける。
祭りの献げ物の香りも喜ばない。
……………
お前たちの騒がしい歌をわたしから遠ざけよ。
竪琴の音もわたしは聞かない。
正義を洪水のように
恵みの業を大河のように
尽きることなく流れさせよ。（同五章一八～二四節）

裕福な貴族たちはけっして祭儀をおろそかにしているわけではない。神殿には献げ物を欠かすことはない。しかし、それは貧しい者たちから巻き上げた物の一部である。彼らは現実の生活で貧しい人々を圧迫しながら、一方では祭りを祝うことによって、自分は神を礼拝していると錯覚している。神はそのような不義の臭いのするもの、あるいは一種の免罪符のような形だけの信仰を拒否される。むしろ、「正義を洪水のように、恵みの業を大河のように、尽きることなく流れさせる」ことを望んでいる。

「主の日」とは、喜ばしい祭りの日である。人々はその日を希望を持って待ち望み、限りない繁栄を夢見ている。アモスはその日のもつ意味を逆転させる。「主の日を待ち望むものは災いだ。それは闇である」と。「光」とはイスラエルの人々にとって「救済」を意味し、「闇」とは「審《さば》き」を意味した。しかし、選ばれた者には「光」ではなく、「闇」が臨むとアモスは語る。

このような言葉は、とうていイスラエルの貴族たちに聞き入れられるはずもなく、アモスは祭司アマツヤによって「先見者よ、行け。ユダの国へ逃れ、そこで糧《かて》を得よ。そこで預言するがよい。だが、ベテルでは二度と預言するな。ここは王の聖所、王国の神殿だから」（同七章一二～一三節）と預言活動を禁止されてしまうのである。

いずれにせよ、アモスにとって「罪」とは「社会的歪《ゆが》み」であった。したがって、「正義」とか「恵みの業」とは、そのような社会的歪みのない社会をもたらす行為ということになろう。具体的には、貧しい者に対する配慮であろう。そのような配慮があれば、「あるいは、万軍の神なる主が、ヨセフの残りの者を憐れんでくださることもあろう」。「あるいは」とは「万が一」ということであり、「もしかして神はイスラエルの民を救ってくださるかもしれない」という意味である。それは、「羊飼いが獅子の口から二本の後足、あるいは片耳を取り戻す」（同三章一二節）ような、ほとんど可能性のないものだというのである。

預言者イザヤの貴族批判

アモスからやや遅れて、預言者イザヤ（前七四〇?～前七〇一）がエルサレムで活動する。彼もまた厳しい批判を残している。

災いだ、家に家を連ね、畑に畑を加える者は。
お前たちは余地を残さぬまでに
この地を独り占めにしている。
万軍の主はわたしの耳に言われた。
この多くの家、大きな美しい家は
必ず荒れ果てて住む者がなくなる。
…………
災いだ、朝早くから濃い酒をあおり
夜更けまで酒に身を焼かれる者は。
酒宴には琴と竪琴、太鼓と笛をそろえている。
だが、主の働きに目を留めず
御手の業を見ようともしない。（「イザヤ書」五章八～一二節）

貴族階級はあたかも自分たちのみが人間であるかのように振る舞い、貧しい人々の家や畑を独占し、大土地所有者となり、しかも朝から酔いしれている。そのような人々を神が許されるはずがない。神は公平であり、正義をもって、みずからを聖なる者として示されるからである。その帰結は審きである。

しかし、その審きは「灰汁《あく》をもってお前の滓《かす》を溶かし、不純なものをことごとく取り去る」（同一章二五節）ためであり、もし人が悔い改めるならば、「恵みの御業によって贖われる」（同一章二七節）。

イザヤ（ミケランジェロ、1509年、システィナ礼拝堂）

イザヤの息子の一人の名は「シェアル・ヤシュブ」という。「残りの者が帰ってくる」の意味を持つ。アモスにも「残りの者」という思想があった。アモスの場合、必ずしも積極的な意味合いでもちいられているわけではないが、彼らがこの残りの者に期待をかけていることにはかわりはない。

ここには現存する者に対する幻滅と、未来に対する期待とが表裏一体となっている。この「残りの者」がメシア思想の先駆けである。メシアはこの残りの者から出てくるというふうに考えられたからである。では、メシア思想とはどのようなものであったのだろうか。

「王」の称号であったメシア

キリスト教は、イエスをキリスト、つまり「救世主」として信仰する宗教である。この「キリスト」(「クリストス」)は、ヘブル語「マシーアㇵ」のギリシア語訳である。このマシーアㇵは通常「メシア」(Messiah)、「メサイア」と表記され、意味的にも「救世主」と受け取られている。

しかし、「キリスト」もしくは「メシア」という語が、最初から「救世主」という意味を持っていたわけではない。マシーアㇵは本来は「油を塗られた者」という意味であり、その動詞「油を塗る」は、普通の意味でももちいられることもあるが(例、「盾に、油を塗れ」「イザヤ書」二一章五節、「最高の香油を身に注ぐ」「アモス書」六章六節など)、たいていの場合、祭儀的な意味でもちいられている。

人や物に油が注がれることによって、それらが神によって聖別されるのである。祭司や祭具(「出エジプト記」「レビ記」「民数記」に多数出てくる)、預言者(例、「列王記」上一九章一五～一六節、「イザヤ書」六一章一節など)に注がれる場合もあるが、とりわけ、王に油を注ぐ場合が多く、「サムエル記」上から「列王記」下には三二回も出てくる。

したがって、「マシーアㇵ」は王（メレク）の祭儀的称号としてもちいられることが多いのであるが、とくに「ヤハウェが油注がれた者」という表現が多く、ヤハウェと王との密接な関係を示している。油を注がれたことによって、ヤハウェの霊が授けられるのであり（「サムエルは油の入った角を取り出し、兄弟たちの中で彼に油を注いだ。その日以来、ヤハウェの霊が激しくダビデに降るようになった」「サムエル記」上一六章一三節）、その帰結として、王には侵すべからざる威厳が賦与《ふよ》されるのである。

ダビデがサウルと対立していたとき、ダビデとアビシャイとがサウルの寝所を襲い、アビシャイがサウルを槍で一突きに刺し殺そうとすると、ダビデは「殺してはならない。ヤハウェが油を注がれた方に手をかければ、罰を受けずには済まない」と言って、枕もとの槍と水差しを取って立ち去った。ダビデがすでに油注がれた者であったにもかかわらずである（「サムエル記」上二六章六節以下）。

このように、数少ない例外は別として、マシーアㇵは祭儀的な行為と結びついているが、とりわけ「王」の即位式と深く結びつき、その称号としてもちいられたのである。王は、もちろんこの世の支配者として君臨するのであるから、その意味ではまだ、われわれが考えているような、終末論的なメシアではない。

したがって、いわゆるメシア思想が出てくるのは、旧約時代末期になってからである。しかしながら、その際「マシーアㇵ」という称号がもちいられたということには、重要な意味が隠されている。その点について、まず見ておく必要があるだろう。

ダビデと王国の誕生

イスラエルの歴史において、最初に王として油を注がれたのはサウルであったが、それまでの部族の連合体を王国へと進展させたのは、サウルの娘と結婚したダビデであった。彼は王国の基礎を確立するに当たって、四つの事業に着手した。首都エルサレムの建設、部族連合のシンボルであった「神の箱」の首都への移動、軍部の整備、そして、とりわけ世襲制の導入である。これらはいずれも、部族連合の本質を全く変化させてしまったものである。

部族連合時代、当然のことながら首都と呼べる町は存在しなかった。それに当たるのは「神の箱」が置かれていた聖所であった（神の箱には、モーセがシナイ山で神から授けられた十戒を記した二枚の石の板が収められていたといわれているが、ここでは、くわしく述べることはひかえる）[1]。その聖所が、部族連合の中心聖所としての役割を果したのであるが、シケムとかベテルとか時代によって移動した。それをダビデはエルサレムに固定したのである。

エルサレムも元々は、エブス人が住む町であり、前に述べたように、イスラエルの民がカナンの土地に侵入したとき、占領できなかった町の一つであった。ダビデは難攻不落であったこの町を策略をもちいて陥落させ、部族連合に属さないこの町を首都とし、しかも彼はその町を「ダビデの町」と名づけたのである（「サムエル記」下五章六節以下）。

彼は、自分の町に「神の箱」を搬入することによって、部族連合の精神を受け継ぐ正当な者という主張をすると同時に、その一方で「ダビデの町」と名づけることによって、部族連合からの離別をはかったのである。この訣別《けつべつ》を明白にしたのが、世襲制の導入である。

部族連合では、そのつど神のカリスマを受けた者が指導者としての務めを果したのであり、その務めは原則としてその子に移譲されることはなかった。その理念は、例えば、東のミディアン人を打ち破った、前一一世紀前半の王ギデオンについての次のような話に表れている。

イスラエルの人はギデオンに言った。「ミディアン人の手から我々を救ってくれたのはあなたですから、あなたはもとより、御子息、そのまた御子息が、我々を治めてください」。ギデオンは彼らに答えた。「わたしはあなたたちを治めない。息子もあなたたちを治めない。ヤハウェがあなたたちを治められる」。（「士師記」八章二二～二三節）

しかし、これはあくまでも理念であって、部族連合時代にこの理念がそのまま貫かれたか否かについては、定かでない。ギデオンには七〇人の息子がいたが、その一人に彼はアビメレクという名前をつけている。アビメレクとは、「私の父（アビ）は王（メレク）」という意味であるから、当のギデオン自身が「王」としての自負を持っていたことを、この事柄から垣間見ることができるのである。

このアビメレクが他の兄弟たちを殺戮《さつりく》して、シケムで王位につくという出来事が起こった。そのとき、たった一人生き残った末子のヨタムが次のような寓話を語っている。

木々が、だれかに油を注いで、自分たちの王にしようとして、まずオリーブの木に頼んだ。「王になってください」。オリーブの木は言った。「神と人に誉《ほま》れを与える、わたしの油を捨てて、木々に向かって手を振りに行ったりするものですか」。

木々は、いちじくの木に頼んだ。「それではあなたが女王になってください」。いちじくの木は言った。「わたしの甘くて味のよい実を捨てて、木々に向かって手を振りに行ったりするものですか」。

木々は、ぶどうの木に頼んだ。「それではあなたが女王になってください」。ぶどうの木は言った。「神と人を喜ばせる、わたしのぶどう酒を捨てて、木々に向かって、手を振りに行ったりするものですか」。

そこですべての木は茨《いばら》に頼んだ。「それではあなたが王になってください」。茨は木々に言った。「もしあなたたちが誠意のある者で、わたしに油を注いで王とするなら、来て、わたしの陰に身を寄せなさい。そうでないなら、この茨から火が出て、レバノン杉を焼き

尽くします」。（「士師記」九章八〜一五節）

ここには、王制が本当に人々を守ってくれるか否かについての懐疑があることは間違いない。「焼き尽くす」という単語が示すように、無制限の王権拡大に対する恐れが隠されている。このような疑念にもかかわらず王制が始まったのは、海岸部に定着したペリシテ人の内陸部への侵入という政治的外圧に対応する必要性が第一にあったからである。しかし、このような王制を世襲制によって強化したのが、ダビデであった。

ナタン預言――ダビデの子孫が王国を継ぐ

ダビデが周囲の敵を打ち破ったとき、彼は神の箱のために神殿を造りたいと預言者ナタンに意見を求める。その夜、神の言葉が預言者に臨む。

わたしの僕ダビデのもとに行って告げよ。主はこう言われる。あなたがわたしのために住むべき家を建てようというのか。わたしはイスラエルの子らをエジプトから導き上った日から今日に至るまで、家に住まず、天幕《てんまく》、すなわち幕屋を住みかとして歩んできた。わたしはイスラエルの子らと常に共に歩んできたが、その間、わたしの民イスラエルを牧するようにと命じたイスラエルの部族の一つにでも、なぜわたしのためにレバノン杉の家を建てないのか、と言ったことがあろうか。

わたしの僕ダビデに告げよ。万軍の主はこう言われる。わたしは牧場の羊の群れの後ろからあなたを取って、わたしの民イスラエルの指導者にした。あなたがどこに行こうとも、わたしは共にいて、あなたの行く手から敵をことごとく断ち、地上の大いなる者に並ぶ名声を与えよう。……主はあなたに告げる。主があなたのために家を興す。あなたが生涯を終え、先祖と共に眠るとき、あなたの身から出る子孫に跡を継がせ、その王国を揺るぎないものとする。この者がわたしの名のために家を建て、わたしは彼の王国の王座をとこしえに堅く据える。わたしは彼の父となり、彼はわたしの子となる。彼が過ちを犯すときは、人間の杖《つえ》、人の子らの鞭《むち》をもって彼を懲《こ》らしめよう。わたしは慈《いつく》しみを彼から取り去りはしない。あなたの前から退けたサウルから慈しみを取り去ったが、そのようなことはしない。あなたの家、あなたの王国は、あなたの行く手にとこしえに続き、あなたの王座はとこしえに堅く据えられる。（「サムエル記」下七章五～一六節）

ここには、ダビデの子孫が彼の王国を継ぐという神の約束が語られている。サウルの場合は一代限りであったが、ダビデの場合には、彼の子孫がその王位を受け継ぐというのである。ダビデもサウルの娘ミカルと結婚したのであるから、ある意味では、サウルの王位がその子に受け継がれたと考えることができなくもない。しかし、この預言では、明らかに、ダビデの身から出る息子のことが語られている。

もちろん、このナタン預言は簡単に成就《じょうじゅ》したわけではない。この預言に続く「ダビデの王位継承物語」では、ソロモンが最終的に王位につくまでの、彼の異母兄弟の間での王位をめぐる争いが詳細に述べられている（「サムエル記」下七章～「列王記」上二章）。このナタン預言は、まさにこの「王位継承物語」の序をなしているといえよう。

「あなたの身から出る子孫」の「子孫」は、ヘブル語では単数形であり、その彼が「わたしの名のために家を建て」る。これは明らかにソロモンを指している。王位継承権者のなかで最下位にいたソロモンが王位につき、豪華なソロモン神殿を建造することによって、この預言は成就するのである。したがって、このナタン預言のなかで言われている「子孫」とは、ソロモンその人のことだけを指しているようにも見える。

しかしながら、同時に、王国がソロモンのみにとどまらず、とこしえに続くと約束されてもいるのである。このナタン預言の本文自体に、後代の編集者の手が加えられていることは明らかであるが、しかし、その核になっている部分には、ナタンの口を通して述べられているダビデの意図が隠されていることも事実である。ダビデは明らかに、自分が勝ち取った王国を、自分の子孫に継がせようという世襲制の導入をもくろんでいるのである。

ダビデが王位についたのはおおよそ前一〇〇〇年のことであり、その統治は四〇年続き、その子ソロモンが王位を継いだのは前九六一年のことであった。しかしながら、彼が前九二二年（九二六年という説もある）に死亡すると、その王国は、エフライムを中心とする北王国（イスラエル王国）とユダを中心とする南王国（ユダ王国）の二つに分裂してしまう。

北王国の首都は最初はシケム、ティルツァ、後にサマリアと王朝が変わるたびに移転するのであるが、南王国では一貫してエルサレムが首都の役割を果たした。そして、このエルサレムでダビデの血統が最後まで統治するのである。

シオンの丘に首都エルサレムを建てる

先に述べたように、エルサレムはもともとイスラエルに属する町ではなくて、カナンの先住民エブス人が住む町であった。「士師記」一章の「イスラエルの民が占領できなかった町」のリストのなかにエルサレムが含まれている。

この町は、シオンの砦《とりで》を中心とする堅固な町であったから、武力の乏しいイスラエルの民にとっては、近寄りがたい難攻不落の町としてダビデの時代まで自立していたのである。この町は高く丘のようにそびえていたから、城外からトンネルを使って水を供給していた。ダビデはこのトンネルから城内に侵入し、エルサレムを手中に収めたのである（「サムエル記」下五章六節以下）。そして、神の箱を搬入したのであるが、この箱のために神殿を建造したのは、前述のとおりソロモンであった。

「サムエル記」下二〇章二三節以下には「ダビデの重臣たち」の表が残されている。その組織は、王の下に「全軍の司令官」「クレタ人とペレティ人の監督官」(親衛隊長)「労役の監督官」「補佐官」「書記官」「祭司」の職務から成り立っていた。

この「祭司」のなかに、ツァドクとアビアタルの名が挙げられている。この二人は、ダビデの王位継承争いの際に、ツァドクはソロモンを、アビアタルはソロモンの異母兄アドニヤをそれぞれ分かれて支援した。このうちツァドクの出自はよくわかっていないが、おそらく、エブス人が住んでいたころからのエルサレムの聖所の祭司であったのではないかと推察することができる。

「創世記」一四章には、サレムの王メルキゼデクが「いと高き神」の祭司であったという記事が残されている。メルキゼデクとは「わが王(メルキ)はゼデク(義)である」という意味を持っているが、このゼデク(ツェデク)とツァドクとは明らかに同義語である。サレムはエルサレムのことを指すから、ツァドクはエルサレムの祭司であったと考えて間違いない。

ダビデはエブス人の町エルサレムをその首都とし、その際神の箱を搬入する場所として、古くから存在していたエブス人の聖所を利用したに違いない。それだけでなく、その聖所につかえていた祭司たちをも彼の機構のなかに取り込んだのである。「クレタ人とペレティ人の監督官」もその名の示すとおり、外国人である。ダビデは傭兵部隊を使って自分の身辺を警護させたのであった。

このようにダビデは、彼の王国を維持するに当たって、イスラエル人のみならず、カナンの人々をも取り込むことに成功したのである。おそらく、周囲の外敵に対抗するためには、イスラエル人だけでは足りなくて、配下に収めたカナン人たちを大いに利用せざるをえなかったというのが実情であろう。したがって、祭司ツァドク以外にも、多くのカナン人が彼の機構のなかで重要な地位を占めたにちがいない。

ダビデのあとを継いだソロモンは、そのエブス人の聖所のあとに神殿を築いた。シオンの丘は名実ともにユダ王国の中心地となったのである。

イザヤのユダ王国批判

ユダ王国はバビロニア帝国によって滅ぼされるまで、このナタン預言によって、最後までダビデの系統が統治した。そのようなダビデ王国の統治に対して、イザヤは批判の声をあげている。

ひとりのみどりごがわたしたちのために生まれた。
ひとりの男の子がわたしたちに与えられた。
権威が彼の肩にある。
その名は、「驚くべき指導者、力ある神

永遠の父、平和の君」と唱えられる。
ダビデの王座とその王国に権威は増し
平和は絶えることがない。
王国は正義と恵みの業によって
今もそしてとこしえに、立てられ支えられる。
万軍の主の熱意がこれを成し遂げる。（「イザヤ書」九章五～六節）

エッサイの株からひとつの芽が萌《も》えいで
その根からひとつの若枝が育ち
その上に主の霊がとどまる。
知恵と識別の霊
思慮と勇気の霊
主を知り、畏れ敬う霊。
彼は主を畏れ敬う霊に満たされる。
目に見えるところによって裁きを行わず
耳にするところによって弁護することはない。
弱い人のために正当な裁きを行い

この地の貧しい人を公平に弁護する。
その口の鞭をもって地を打ち
唇の勢いをもって逆らう者を死に至らせる。
正義をその腰の帯とし
真実をその身に帯びる。

狼は小羊と共に宿り
豹《ひょう》は子山羊と共に伏す。
子牛は若獅子と共に育ち
小さい子供がそれらを導く。
牛も熊も共に草をはみ
その子らは共に伏し
獅子も牛もひとしく干し草を食らう。
乳飲み子は毒蛇の穴に戯れ
幼子は蝮《まむし》の巣に手を入れる。（「イザヤ書」一一章一～八節）

預言者たちの社会批判

エッサイとはダビデの父である。エッサイからダビデが生まれたのだが、そのダビデが建設した王国は、神の望んだ方向とは異なる方に行ってしまった。それゆえ、もう一度元に戻って、つまりエッサイにさかのぼって、新しいダビデの誕生を待ち望むというのである。ここには現在のダビデ王国に対する批判がある。その新しい王国は、不公平と不義が支配する国ではなく、正義と平和の絶えることのない国である。そして、そこでは、小羊が狼と共に宿り、豹が子山羊と共に伏すようになる。最後の段落はユートピアを希求するそれまでにない新しい表象である。しかし、イザヤは次のようにも預言する。

それゆえ、わたしの主が御自らあなたたちにしるしを与えられる。
見よ、おとめが身ごもって、男の子を産み、その名をインマヌエルと呼ぶ。（同七章一四節）

この言葉は『新約聖書』の「マタイによる福音書」において、イエス・キリストの誕生を描く場面にも引用されているが、イザヤは来るべき新しい王の名は「インマヌエル」と呼ばれるというのである。インマとは「共に」、ヌは「われわれ」、エルは「神」、すなわち「神がわれわれと共に在す」、あるいは「われわれと共なる神」という意味である。

この言葉は、前述したように、イスラエルの族長たちが古くからもっていた神信仰を表す言葉である（六〇および九〇ページ参照）。ユダの人々は、首都エルサレムが神の都であり、そこに座するダビデ王朝はけっして滅びることはないと信じている。しかし、イザヤは、そのような人間的な依存への破れを見いだしており、「神が共にいる」世界を待望する。イザヤは本来的神関係への回帰を求めている。

そして、そのような新しい世界の到来を、遠い未来に期待しているのではない。むしろ、その新しい歴史の地平から、この古い歴史を照射すること、そこに彼の預言の批判的性格があらわになるのである。

われわれは預言者が語った「選民思想」批判が、「メシア待望」へとつながっていくこととともに、「ナタン預言」もまた、その「メシア」思想に大きな影響を与えたことを知ることができた。

しかし、アモスやイザヤの語る「救済の出来事」が、超自然的表象をもちつつ、それらがけっして超未来的な事柄ではないことも理解できたと思う。

彼らの預言は社会批判と深く結びついていたのである。その限りにおいて、それはまだいわゆる「メシア預言」とは言えないであろう。それにもかかわらず、その淵源はすでにここにあるとも言いうるのである。

第六章　隠れたる神――ユダ王国滅亡の衝撃

バビロン捕囚

預言者たちの警告に耳を貸さなかったため、頼みとしていたナタン預言にもかかわらず、ユダ王国は前五八七年、新バビロニア帝国によって滅ぼされてしまった。エルサレムの主だった人々は、あらかたバビロンに捕らえられ移された。世に言う「バビロン捕囚《ほしゅう》」である。捕囚の実際的状況がどのようなものであったか、われわれにはよくわからないが、彼らがうけた精神的衝撃は「哀歌」や「詩編」などからうかがい知ることができる。また、捕囚の民はヤハウェと自分たちとの関係をどのように見ていたのだろうか。これらについて本章では、エレミヤやエゼキエルの預言を通して探っていこう。

「列王記」下二四章の記述によれば、前五九七年、ヨヤキン王（前五九八～前五九七）のとき、新バビロニアの王ネブカドネツァル（前六〇五～前五六二）がエルサレムを包囲し、神殿と王宮の宝物を奪い、ヨヤキン王を捕虜とした。

「エルサレムのすべての人々、すなわちすべての高官とすべての勇士一万人、それにすべて

ネブカドネツァル王の年代記（楔形文字を使用）

の職人と鍛冶《かじ》を捕囚として連れ去り、残されたのはただ国の民の中の貧しい者だけであった」（当時のエルサレムの総人口がどれほどであったかは不明だが、一六節では「すべての軍人七千人、職人と鍛冶千人、勇敢な戦士全員」が捕囚の民となったと記されている。ちなみに「歴代誌」下三六章には人数への言及はない）。これが第一回目の捕囚である。

ネブカドネツァルはヨヤキンに代えて、その叔父に当たるゼデキヤ（前五九七〜前五八七）を王とした。新バビロニア側の資料である「バビロニア年代記」によれば、「ネブカドネツァルの統治の第七年目のアダルの月の第二日目（前五九七年三月一六日）、王は包囲していたユダの町（エルサレム）を占領した。彼は、その王を捕らえ、自ら選んだ王を指名した。莫大《ばくだい》な戦利品を得、それをバビロンに送った」とある。[1]

その数年後、そのゼデキヤ王がバビロニア王に反旗をひるがえしたため、ゼデキヤ王の治世九年にネブカドネツァルは再びエルサレムにいたり、周囲に堡塁《ほるい》を築いて包囲した。およそ二年にわたる籠城《ろうじょう》の末、エルサレムの民の食糧が尽き、都の一角が破られ、ゼデキヤ王は捕らえられ、神殿、宮殿、町の家屋が焼き払われたと記されている。前五八七年のことである。

エルサレムが敵の手に落ち、破壊されたという事実は、ユダの民にとって大きな危機を意味した。われわれは、人々が「主は我々を御覧にならない。主はこの地を捨てられた」(「エゼキエル書」八章一二節)とか、「主はわたしを見捨てられた、わたしの主はわたしを忘れられた」(「イザヤ書」四九章一四節)と語っていたことを、預言者の言葉から仄聞《そくぶん》することができる。

エレミヤ(ミケランジェロ、1511年、システィナ礼拝堂)

たしかに以前の預言者たちも同様なカタストローフを預言していた。しかし、少なくとも彼らはシオンの不可侵性を信じて疑わなかったのである。このような信仰に対してエレミヤは警告を与えている。

主を礼拝するために、神殿の門を入って行くユダの人々よ、皆、主の言葉を聞け。

イスラエルの神、万軍の主はこう言われる。お前たちの道と行いを正せ。そうすれば、わたしはお前たちをこの所に住まわせる。主の神殿、主の神殿、主の神殿という、むなしい言葉に依り頼んではならない。……お前たちはこのむなしい言葉に依り頼んでいるが、それは救う力を持たない。盗み、殺し、姦淫し、偽って誓い、バアルに香をたき、知ることのなかった異教の神々に従いながら、わたしの名によって呼ばれるこの神殿に来てわたしの前に立ち、「救われた」と言うのか。……シロのわたしの聖所に行ってみよ。かつてわたしはそこにわたしの名を置いたが、わが民イスラエルの悪のゆえに、わたしがそれをどのようにしたかを見るがよい。……お前たちが依り頼んでいるこの神殿に、そしてお前たちと先祖に与えたこの所に対して、わたしはシロにしたようにする。（「エレミヤ書」七章二〜一四節）

エレミヤ哀歌——主は敵となられた

かつて神の箱が置かれていたシロが破壊されたように、エルサレムに対して神は審きをもたらすのである。ディアスポラ（離散の民。二〇一ページ以下参照）にとっても、ユダに残った住民にとっても、このような衝撃は信仰の試練でもあった。この出来事が、ヤハウェを信じる者たちにとっていかに理解不可能であったか、「哀歌」のなかに見ることができる。

主はまことに敵となられた。
イスラエルを圧倒し
その城郭《じょうかく》をすべて圧倒し、砦《とりで》をすべて滅ぼし
おとめユダの呻《うめ》きと嘆きをいよいよ深くされた。

シオンの祭りを滅ぼし
仮庵をも、園をも荒廃させられた。
安息日をも、祭りをもシオンに忘れさせ
王をも、祭司をも
激しい怒りをもって退けられた。

主は御自分の祭壇をすら見捨て
御自分の聖所をすら見捨て
城郭をも城壁をも、敵の手に渡された。
敵は主の家で喚声をあげる
あたかも祭りの日のように。

主はおとめシオンの城壁を滅ぼそうと定め
打ち倒すべき所を測り縄ではかり
御手をひるがえされない。
城壁も砦も共に嘆き、共に喪《も》に服す。

城門はことごとく地に倒れ、かんぬきは砕けた。
王と君侯は異国の民の中にあり
律法を教える者は失われ
預言者は主からの幻による託宣を
もはや見いだすことができない。

おとめシオンの長老は皆、地に座して黙し
頭に灰をかぶり、粗布を身にまとう。
エルサレムのおとめらは、頭を地につけている。（「哀歌」二章五〜一〇節）

この「哀歌」は、伝統的にはエレミヤが作者のように言われていて、現在の『旧約聖書』の順序では「エレミヤ書」の直後に置かれ、「エレミヤ哀歌」とも呼ばれているが、彼とは別人の作である。ちなみに、キリスト教の教会暦では、この「哀歌」は、復活祭前の聖週間の聖木曜日から聖土曜日の三日間の聖務日課の朝課（実際は夜半におこなわれる）において、キリストの受難を想起して読まれる箇所である。

この朝課の最後で、弟子たちがイエスを見捨てて一人去り、二人去りしていく様子になぞらえて、ロウソクが順次消されていくため、この聖務日課は「ルソン・ド・テネブル」つまり「闇」の日課と呼ばれている。さらに付け加えるならば、フランス・バロック時代の音楽家シャルパンティエによる有名な曲がある[2]。

この「哀歌」の詩人は、エルサレムの滅亡と宗教的堕落とをもたらしたのが、ヤハウェ自身であると述べている。国家（王）、宗教的諸制度（祭司、預言者）、土地（ヤハウェの約束の賜物）をユダの足元から取り去る神を、詩人は「イスラエルの敵」とさえ言うのである。

主の憤《いきどお》りは極まり、主は燃える怒りを注がれた。
シオンに火は燃え上がり、都の礎《いしずえ》までもなめ尽くした。

わたしたちを苦しめる敵が、エルサレムの城門から入るなどと
地上の王の誰が、この世に住む誰が、信じえたであろう。

これはエルサレムの預言者らの罪のゆえ、祭司らの悪のゆえだ。

エルサレムのただ中に、正しい人々の血を注ぎ出したからだ。

…………

主は御顔を背け、再び目を留めてはくださらない。（「哀歌」四章一一～一三、一六節）

イスラエルの民の自己断罪

一方、預言者もこの出来事を神の意思としてとらえている。

わたしはわたしの家を捨て、わたしの嗣業を見放し、
わたしの愛するものを敵の手に渡した。（「エレミヤ書」一二章七節）

おそらく、このようなイスラエルの自己認識なしには、例えば、「申命記的歴史著作」（「ヨシュア記」～「列王記」下）のような、自己の歴史の批判的な回顧の記述が書かれなかったであろうことは、明らかである。イスラエルは自己を厳しく断罪している。エルサレムの占領とそれに続く出来事が、彼らにとっていかに重要であったか。ユダヤの暦にその名残をとどめている。

アブの月の一日から九日までが、ゲダルヤ暗殺を想起し、悔い改める服喪期間である（テ

イシャ・ベ・アブ）。この期間中には、いかなる結婚式も挙行されてはならないし、敬虔なユダヤ教徒は肉とワインを一切口にしない。

タンムズの月の一七日（シワ・アッサル・ベ・タンムズ）は、前五八七年のネブカドネツアルによるエルサレムの破壊を想起する日――同時に紀元後七〇年のローマ皇帝ティトゥスによる破壊をも記念する日でもあるが――である。

テベトの月一〇日の断食日も（アッサラ・ベ・テベト）、ネブカドネツァルによるエルサレム包囲の時の飢えを想起する日である。ちなみに、ユダヤの暦ではそもそも王国時代の出来事は、この最後の滅亡の出来事を除いて、記念日として祝われることはない。王国の滅亡という結末から民は、人としての王が支配する王国時代は、ヤハウェが王であるという考え方からの逸脱であることを学んだに違いない。

奴隷生活の苦汁

バビロンに捕らえられ移された人々が、どこで、どのように生活を送ったのか、「列王記」には記されていない。

ただ、「ユダの王ヨヤキンが捕囚となって三十七年目の第十二の月の二十七日に、バビロンの王エビル・メロダクは、その即位の年にユダの王ヨヤキンに情けをかけ、彼を出獄させ……王と食事を共にすることとなった」（「列王記」下二五章二七節以下）という記事から、少なくとも王は長らく獄中にあったが、恩赦によって出獄したことがわかる。しかし、「エゼキエル書」一章一節によれば、捕囚の民がケバル川の河畔に住んでいたという。ケバル川は運河の一種であったと考えられている。

ところで、捕虜は当時の帝国にとって貴重な労働力であった。チグリス川とユーフラテス川にはさまれた地域、つまりメソポタミア地方にあるバビロニア帝国は、この両河の水を巧みに農耕に利用して栄えた国である。そのために運河や支流の整備が不可欠であった。整備をおこたれば、たちまち土手が壊れ、田畑が冠水してしまう。このような補修に捕虜は恰好《かっこう》の労働力であった。

ちなみに、かつて威容を誇った首都バビロンもいつしか放棄され、そのありかさえ、近年まで忘却されてしまっていた。戦争による荒廃もその原因の一つであるが、実は灌漑《かんがい》がこの文明の寿命を縮めてしまったとされる。

彼らは灌漑耕地に排水設備を造らなかった。そのため、灌漑水が地下にしみ込み、地下水面を押し上げた。その地下水が毛細管現象によって地表に達し、次々と蒸発する過程で、地中に溶けていた塩分を地表に運んだのである。その結果、いつしか地表は塩分の高い、作物のできない不毛の耕地に変化してしまったという。文明のなせる皮肉としか言いようがない。

奴隷の生活の実態については、皆目見当がつかない。ただ、劣悪な状況の下にあったことは確かである。「出エジプト記」には、エジプトにいたイスラエル人が、エジプトの都市の建設工事に駆り出されたばかりでなく、粘土こね、煉瓦焼き、あらゆる農作業などの重労働に従事させられていたと記されている。

このような状況は、バビロン捕囚よりはるか以前のことであるが、時代が変わっても、奴隷や捕虜の待遇が改善されたとはとうてい考えられないから、バビロンへ捕らえられ移された捕虜たちも、似たような境遇にあったことは間違いないであろう。

バビロンの流れのほとりに座り
シオンを思って、わたしたちは泣いた。
竪琴は、ほとりの柳の木々に掛けた。
わたしたちを捕囚にした民が
歌をうたえと言うから
わたしたちを嘲《あざけ》る民が、楽しもうとして
「歌って聞かせよ、シオンの歌を」と言うから。

どうして歌うことができようか
主のための歌を、異教の地で。

エルサレムよ
もしも、わたしがあなたを忘れるなら
わたしの右手はなえるがよい。
わたしの舌は上顎《うわあご》にはり付くがよい
もしも、あなたを思わぬときがあるなら
もしも、エルサレムを
わたしの最大の喜びとしないなら。（「詩編」一三七編一～六節）

捕囚の民の実際の生活が不明であったとしても、この「詩編」は彼らの精神的境地をよく伝えている。彼らは、エルサレムから遠く離れた異教の地に連れてこられて、しかも奴隷として肉体的な苦境に立っている。

そこにバビロンの人々が現れて、お前たちの国の歌を歌えと強要する。おそらく、楽士も捕虜の一部として連れられてきたにちがいない。彼らは、自分の楽器である竪琴を木に掛けて、要請を拒否するのである。かつてのエルサレム神殿では、荘厳な音楽が奏せられていた。「詩編」には多様な楽器の名称が出てくるからである(3)。

そのような神殿で奏でられるべき歌を、異教の土地で演奏することは信仰上許されない。

しかしながら、一方で彼らは精神的にエルサレムと強く結びついていた。エルサレムは彼らの精神的支柱であったのである。彼らはけっしてシオンを忘れることはないと誓っている。

預言者エゼキエルの見た幻

このような感情の表現は、宗教的に見れば、興味あることを示している。捕囚の民は、エルサレムから遠くへだたってしまっているという絶望のなかで「泣いて」いる。つまり、神は依然としてエルサレムに留まっていて、バビロンには臨在しないという認識が民のなかに存在しているのである。

このような絶望のなかにある民の間に、預言者エゼキエルが登場する。彼もまた捕囚の民としてバビロンに連れられてきたのであるが、彼は、ケバル川の河畔で、不思議な幻を見る。ケバル川は前述したように、運河であったと思われる。

わたしが見ていると、北の方から激しい風が大いなる雲を巻き起こし、火を発し、周囲に光を放ちながら吹いてくるではないか。その中、つまりその火の中には、琥珀金《こはくきん》の輝きのようなものがあった。またその中には、四つの生き物の姿があった。……わたしが生き物を見ていると、四つの顔を持つ生き物の傍《かたわ》らの地に一つの車輪が見えた。……それらが移動するとき、四つの方向のどちらにも進むことができ、移動するとき向きを変えること

ペルシア・スサ出土の浮き彫り

はなかった。……

　生き物の頭上にある大空の上に、サファイアのように見える王座の形をしたものがあり、王座のようなものの上には高く人間のように見える姿をしたものがあった。……これが主の栄光の姿の有様であった。わたしはこれを見てひれ伏した。（「エゼキエル書」一章四節以下からの抜粋）

　この生物は、各々四つの顔（人間、獅子、牛、鷲）と四つの翼を持ち、足の裏は子牛の足の裏のようで、翼の下には人間の手があって、四つの方向に、つまりあらゆる方向に移動する。このような存在は、例えば、ルーブル美術館に陳列されているアッシリアの浮き彫りや、ペルシアのスサから出土した浮き彫りから、ある程度連想することができるであろう。

　しかし、基本的には、かつてのエルサレム神殿の至聖所に安置されていたケルビムの像に似ており、また、エジプト脱出の際に民と共にあって彼らを導いた火の柱、雲の柱を連想させる物である。神の臨在とその威厳とを示すものであったのではなかろうか。

その生物の傍らに、一つの車輪が見えた。これもまた奇妙な車輪で、車輪の中に別の車輪があるかのようであり、しかも、車輪の周囲一面に目がついているのである。そして、その上の大空には王座があり、そこには人間のようなもの、主の栄光があったという。

捕囚は七〇年に及ぶだろう

このようなエゼキエルの幻は、何を意味するのであろうか。これは、エルサレムから遠く離れて絶望のどん底にある民に対する「神はいつ、いかなるところでも、我々と共に臨在するのだ」というメッセージなのである。あらゆる方向に移動する車輪は、神の臨在が全世界に及ぶということを示す。エゼキエルは後に神の栄光がエルサレム神殿を離れ去る幻についても語っている（同一〇～一一章）。

もちろん、この幻の背後には、エルサレムに残留した民がエルサレムの土地の所有権を主張していることに対する反論が存在しており、単純に宗教的問題としてのみ片づけることはできない。

エレミヤも、バビロンに捕囚された民を「良いいちじく」、エルサレムに残っている民を「悪いいちじく」と語っている（「エレミヤ書」二四章参照）。このような主張の背景には、バビロンに捕囚された民は主として上層階級、すなわち高級官僚、教養ある祭司たち、技術者であり、彼らは自分たちが大きな家系の、そして知的に養育されたものの後継者として、パレスチナの素朴な残留民よりも優れているという自負が潜んでいるのかもしれない。

しかし、エゼキエルの幻は少なくとも、神の臨在がエルサレムのみに限定されないことを意味している。エゼキエルはこのような幻をもって、捕囚の民の絶望感をいやそうとしたに違いない。しかし、それにもかかわらず、エゼキエルの神は、ケルビムとの結びつきを示すように、あくまでもエルサレムからケバルまで出張してきた神であり、その点で、民族的な神観から自由ではないと言わざるをえない。

ところで、このような幻を民に伝えるという使命を与えられたことの背景には、捕囚の長期化とかかわりがあるであろう。最初の捕囚民は、すぐにもユダに帰還しうると考えていたようである。このような楽観的な見方に対して、捕囚の動乱の時期を体験したエレミヤは、次のような手紙を捕囚の民に送っている。


イスラエルの神、万軍の主はこう言われる。わたしは、エルサレムからバビロンへ捕囚として送ったすべての者に告げる。家を建てて住み、園に果樹を植えてその実を食べなさい。妻をめとり、息子、娘をもうけ、息子には嫁をとり、娘は嫁がせて、息子、娘を産ませるように。そちらで人口を増やし、減らしてはならない。わたしが、あなたたちを捕囚として送った町の平安を求め、その町のために主に祈りなさい。その町の平安があってこそ、あなたたちにも平安があるのだから。

イスラエルの神、万軍の主はこう言われる。あなたたちのところにいる預言者や占い師たちにだまされてはならない。彼らの見た夢に従ってはならない。彼らは、わたしの名を使って偽りの預言をしているからである。わたしは、彼らを遣《つか》わしてはいない、と主は言われる。(「エレミヤ書」二九章四〜九節)

エレミヤは、捕囚の期間が長期になるから、そのための生活の備えをせよと忠告している。短期間に終わるという楽観的な預言を語る預言者は、神から遣わされた者ではないのだから、彼らの言葉に惑わされるなと強調している。事実エレミヤは、そのような預言を語るハナンヤと論争しており(「エレミヤ書」二八章)、この手紙は楽観主義者に対する痛撃であった。

手紙はまだ続いていて、そこでは捕囚が七〇年に及ぶと述べている。実際にはそれよりも一〇年ほど短い期間で終わったのであるが、それでも捕囚が半世紀以上に及ぶとは、誰も考えなかったのではないだろうか。

バビロン解放とディアスポラの開始

ところで、エルサレムを完全に破壊したネブカドネツァル王は、ダビデの系統でないゲダルヤをユダ地方の総督として(つまり「王」としてではなく)任命したが、おそらくエジプトの後ろ楯があって、王族に連なる者がクーデターを起こし、ゲダルヤを殺害した。しかし、バビロニアの復讐を恐れて、エルサレムにいた多くの者がエジプトに逃亡した。その際、親バビロニア派と見なされていたエレミヤは彼らに拉致《らち》され、エジプトに連行されてしまった。その後の彼の行方について『聖書』は語ってくれない。

ともあれ、捕囚の民はバビロニアでの長期的滞在を余儀なくされた。そして、エレミヤの預言に触発されたか否かは別として、ペルシアの王キュロスがバビロン奪取後に発令した捕囚民解放の勅令にもかかわらず、バビロンに残留した民が多かったのである。

この事実は、いまさら帰還するよりも、長期滞在によるそれなりの生活安定を捨てがたかった捕囚民の現実主義を示すのであろうか。これが、いわゆる「ディアスポラ」(「離散の民」と訳されることが多い)の本格的な開始である(もちろんバビロン捕囚以前にも商人たちによる小規模なディアスポラは存在した。「列王記」上一〇章二八節、二〇章三四節参照)。

エジプトに行った人々も同じように、後のアレクサンドリアを中心とするディアスポラ形成の基礎となったのである(ペルシア時代には、ナイル川上流アスワン近くの島エレファンティネに傭兵のユダヤ人たちによる軍事植民地が存在した)。

エゼキエルが見た幻は、第一回目の捕囚の後であったが、この時はまだ、エルサレムには神殿が立っていた。しかし、ネブカドネツァルの神殿破壊によって、ヤハウェがエルサレム神殿に住まわれるという古い伝承が根底から崩されたとき、この伝承の持つ意義を再構築することが必要になってきたのである。

エゼキエルは、先に述べたように、ヤハウェがエルサレム神殿を離れるという幻を語ることによって、彼なりのやり方で解決しようとした。しかし、彼も最終的には、エルサレム神殿を中心とするユダ国家の再建を夢見ており、そのための詳細な「憲法草案」を述べている（「エゼキエル書」四〇〜四八章、この部分は紀元前五七三年に成立したと言われている）。それゆえ彼もまたシオンへの復帰の夢を捨て切れなかったと言えよう。

　わたしはお前たちを諸国の民の間から集め、散らされていた諸国から呼び集め、イスラエルの土地を与える。彼らは帰って来て、あらゆる憎むべきものと、あらゆる忌《い》まわしいものをその地から取り除く。わたしは彼らに一つの心を与え、彼らの中に新しい霊を授《さず》ける。わたしは彼らの肉から石の心を除き、肉の心を与える。彼らがわたしの掟に従って歩み、わたしの法を守り行うためである。こうして、彼らはわたしの民となり、わたしは彼らの神となる。（「エゼキエル書」一一章一七〜二〇節）

これと似た考えをエレミヤもまた述べている。

わたしは、わたしが主であることを知る心を彼らに与える。彼らはわたしの民となり、わたしは彼らの神となる。彼らは真心をもってわたしのもとへ帰って来る。（「エレミヤ書」二四章七節）

見よ、わたしの民、イスラエルとユダの繁栄を回復する日が来る、と主は言われる。主は言われる。わたしは、彼らを先祖に与えた国土に連れ戻し、これを所有させる。

…………

彼らは、神である主と、わたしが立てる王ダビデとに仕えるようになる。

…………

こうして、あなたたちはわたしの民となり、わたしはあなたたちの神となる。（同三〇章三、九、二二節）

エレミヤは、ダビデ王国再建の夢すら捨て去ってはいない。しかし、いずれにせよ、そのためには、民のかたくなな石の心を肉の心に変えて、神へと回帰させることが必要である。それなしには、何事も実現しないのである。

預言者エゼキエルは、主の栄光が捕囚の地に現れる幻を見た。この幻は、神の臨在がエルサレムのみに限定されず、いつ、いかなるところでも、臨在することを示している。

これは、捕囚が長期化するにつれ絶望に陥った、捕囚の民に対するエゼキエルのなぐさめの言葉であった。

一方、預言者エレミヤは、現実的な立場から、長期化する捕囚に対する対応を勧めている。このような彼らの言動は、後のディアスポラの精神的支えとなっていくのである。

第七章　唯一なる神――世界の歴史を導く神へ

パレスチナ帰還――第二イザヤの預言

エゼキエルにやや遅れて、バビロンで活動した預言者に「第二イザヤ」がいる。彼は、バビロニア帝国の異教の神に圧倒されているイスラエルの民に対して、ヤハウェこそ真の神であり、世界を創造した神であることを説き、さらにバビロンからの解放を民に告げるのである。しかし、この預言者にはもう一つの顔が隠されている。彼の預言には、四つの「僕《しもべ》の歌」が含まれているが、とりわけ、その最後に出てくる「苦難の僕」とはいったい何者なのであろうか。そして、この「苦難の僕」は、メシア待望といかなる関係を持つのであろうか。本章ではいよいよ一神教誕生の現場に立ちあってみることにしよう。

エゼキエルよりさらに時代が下って、一人の偉大な預言者が登場する。第二イザヤである。その偉大さにもかかわらず、不思議にも、彼の名は伝えられていない。意図的に自分の名を隠したのか、抹消されてしまったのか、事実はもはやわからない。ただ、彼の預言が本来の「イザヤ書」(一～三九章)の後の四〇～五五章に残されているところから、学問上便宣的に「第二イザヤ」と名づけられているのである。

慰《なぐさ》めよ、わたしの民を慰めよと
あなたたちの神は言われる。
エルサレムの心に語りかけ、彼女に呼びかけよ、
苦役の時は今や満ち、彼女の咎《とが》は償《つぐな》われた、と。
罪のすべてに倍する報《むく》いを主の御手から受けた、と。

呼びかける声がある。
主のために、荒れ野に道を備え、
わたしたちの神のために、荒れ地に広い道を通せ。
谷はすべて身を起こし、山と丘は身を低くせよ。
険《けわ》しい道は平らに、狭い道は広い谷となれ。

…………

高い山に登れ、良い知らせをシオンに伝える者よ。
力を振るって声をあげよ、良い知らせをエルサレムに伝える者よ。
声をあげよ、恐れるな、ユダの町々に告げよ。（「イザヤ書」四〇章一～四、九節）

ヘンデルの名作オラトリオ「メサイア」の冒頭で歌われるこの預言をもって、彼はパレスチナへの帰還を捕囚の民に告げる。彼はおそらく、東方のメディア（後のペルシア）がバビロンに迫るのを察知したのかもしれない。

事実、ペルシアの王キュロス（前五五〇～前五三〇）が前五三九年にバビロンを陥落させ、翌前五三八年には捕囚民のユダヤ帰還を許可する勅令を出した。第二イザヤの預言は成就したのである。しかし、第二イザヤのユダヤ思想における重要性は、この預言の成就にのみあるのではない。むしろ、彼の神学的関心にあるのである。

捕囚の民は、バビロンの国力に圧倒されていたに違いない。エルサレムに比して都市バビロンは巨大であり、その神殿も、その都市の規模にふさわしく壮大で、その中に鎮座するマルドゥク神は、きらびやかで、かつ堂々としていたからである。

いわゆる「バベルの塔」は一辺九〇メートル、高さ三三メートルの正方形の基壇の上に五層の方台が積み重ねられ（第二層の高さは一八メートル、第三層から第六層までは各六メートル）、最上層には奥行き二四メートル、幅二一メートル、高さ一五メートルの神殿が置かれていた。その高さは合わせて九〇メートルである。人々には「天まで届く」ように見えたに違いない（「創世記」一一章一～九節参照）。その名も「エ・テメン・アン・キ」（天と地の家）であった。そしてバベルはまさに「神の門」（Babilu）であった。

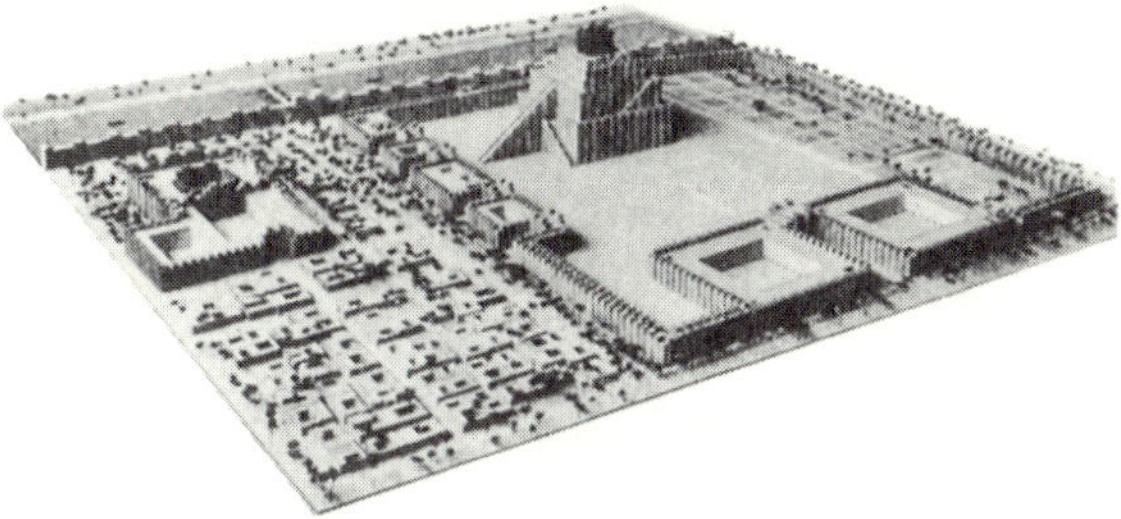

バビロンのエ・テメン・アン・キ神殿の模型（ベルリン・ペルガモン博物館）

バビロンのイシュタル門（同博物館）

動物の上に乗って行進するアッシリアの神々（マラティアの前700年頃の浮き彫り）

ユダの民はまた、毎年秋にそこで挙行される新年祭を見聞したであろう。この祭りでは、主神マルドゥクによる天地創造が祭儀劇として再現された。混沌の神ティアマトを打ち破り、世界に秩序をもたらすマルドゥクの役をおそらく王が演じることによって、神による王権の承認を民の前に誇示したのであろう。この祭りは、王が神であることを民の心に刻み込む恰好の機会であった。

バビロニアの主神マルドゥクの力

捕囚の民は、このような現実を前にして、一方ではイスラエルの神による救済を待ち望みつつも、その一方でバビロニアの国を支える神マルドゥクの力に圧倒されていたのであろう。おそらく彼らは、偶像礼拝を強制されていたに違いない（「エレミヤ書」一六章一一節、「申命記」四章二八節、二八章三六、六四節）。

したがって、民は希望と絶望の谷間にいたといえよう。いや、むしろ、イスラエルの神の無力さに絶望していた民のほうが多かったといえるかもしれない。そのような疑問を抱いている民に対して、第二イザヤは、逆にバビロンの神の無力さについて語るのである。

お前たちは、神を誰に似せ、どのような像に仕立てようというのか。
職人は偶像を鋳《い》て造り、金箔《きんぱく》を作ってかぶせ、銀の鎖を付ける。
献げ物にする桑の木、えり抜きの朽ちない木を
巧みな職人は捜し出し、像を造り、据え付ける。（「イザヤ書」四〇章一八～二〇節）

木は薪《たきぎ》になるもの。人はその一部を取って体を温め、
一部を燃やしてパンを焼き、その木で神を造ってそれにひれ伏し、
木像に仕立ててそれを拝むのか。（同四四章一五節）

ベルはかがみ込み、ネボは倒れ伏す。彼らの像は獣や家畜に負わされ、
お前たちの担《かつ》いでいたものは重荷となって、疲れた動物に負わされる。
彼らも共にかがみ込み、倒れ伏す。
その重荷を救い出すことはできず、彼ら自身も捕らわれて行く。

わたしに聞け、ヤコブの家よ、イスラエルの家の残りの者よ、共に。

あなたたちは生まれた時から負われ、胎《たい》を出た時から担《にな》われてきた。

同じように、わたしはあなたたちの老いる日まで、
白髪になるまで、背負って行こう。

わたしはあなたたちを造った。わたしが担い、背負い、救い出す。（同四六章一～四節）

「ベル」や「ネボ」はバビロンの神である。ベルは「主」を意味し、マルドゥクのことであった。メロダク・バルアダン（メロダクはマルドゥク、バルアダンは「ベルは子を与えられた」の意、「列王記」下二〇章一二節、「イザヤ書」三九章一節）や、ベルシャツァル（「ベルは王を護られるように」の意、「ダニエル書」八章一節）は、この神にあやかってつけられた名前である。

おそらく「輝く者」という意味を持つネボ（ナブー）は、ベル・マルドゥクとサルパニトの間に生まれた神であり、マルドゥクに劣らず崇拝されていた。エルサレムを占領したネブカドネツァル（「ナブー神がその領土を守護されるように」の意、「列王記」下二四章一節。なお、「エレミヤ書」二五章一節ではネブカドレツァルとなっている）や、その父ナボポラッサルにその名が込められている。

先程述べた新年祭には、神々の壮大な行進がおこなわれたが、神々は動物の上に乗って行

進したのである。(1)第二イザヤは、そのような堂々たる行進に圧倒されているユダの民に向かって、それを揶揄《やゆ》している。

「神々もそれを担う動物たちもともに倒れてしまう」。そしてそもそも神々の像は、金箔で輝き、銀の飾りがほどこされていようとも、職人が木で造った所詮《しょせん》はりぼての像ではないか。職人たちが暖をとり、パンを焼くときに使う薪にすぎないではないか。「見よ、彼らはすべて無に等しく、業もむなしい。彼らの鋳た像はすべて、風のようにうつろだ」と第二イザヤの言葉は強烈である（「イザヤ書」四一章二九節）。

創造の神

では、真の神は誰なのか。それは、動物に担われる神ではなくして、お前たちを、生まれたときから担ってきた「ヤハウェ」以外にはいない。

ヤコブよ、なぜ言うのか、イスラエルよ、なぜ断言するのか。
わたしの道は主に隠されている、と、
わたしの裁きは神に忘れられた、と。
あなたは知らないのか、聞いたことはないのか。
主はとこしえにいます神、地の果てに及ぶすべてのものの造り主。

倦《う》むことなく、疲れることなく、その英知は究めがたい。
疲れた者に力を与え、勢いを失っている者に大きな力を与えられる。（「イザヤ書」四〇章二七〜二九節）

絶望状況のなかにいる捕囚の民にとって、イスラエルの神は自分たちを見捨ててしまったように見える。しかし、本当はそうではないのだ。マルドゥクではなく、イスラエルの神こそ、この世界を創造し、永遠に支配する真の神であり、われわれに力を与えてくれる神なのである。そして、第二イザヤは、ここで創造の神について語るのである。

手のひらにすくって海を量《はか》り、手の幅をもって天を測る者があろうか。
地の塵《ちり》を升《ます》で量り尽くし、山々を秤《はかり》にかけ、丘を天秤《てんびん》にかける者があろうか。
……………
見よ、国々は革袋からこぼれる一滴のしずく、天秤の上の塵と見なされる。
島々は埃《ほこり》ほどの重さも持ちえない。
レバノンの森も薪《たきぎ》に足りず、その獣もいけにえに値しない。
主の御前に、国々はすべて無に等しく、むなしくうつろなものと見なされる。
……………

お前たちは知ろうとせず聞こうとしないのか。
初めから告げられてはいなかったのか。
理解していなかったのか、地の基《もとい》の置かれた様を。
主は地を覆う大空の上にある御座に着かれる。
地に住む者は虫けらに等しい。
主は天をベールのように広げ、天幕のように張り、その上に御座を置かれる。

……………

お前たちはわたしを誰に似せ、誰に比べようとするのか、と聖なる神は言われる。
目を高く上げ、誰が天の万象を創造したかを見よ。（同四〇章一二節、一五〜一七節、二一〜二二節、二五〜二六節）

ここでは、イスラエルの神が太陽や月のような天の万象の神格化したものではなく、それらを超越した天地の創造者であることが主張されている。ある意味では、宇宙的規模の神が説かれているように見える。

しかし、この創造論はそれだけで独立しているのではない。

ヤコブよ、あなたを創造された主は、イスラエルよ、あなたを造られた主は、

太陽や月を創造する神（ミケランジェロ、1511年、システィナ礼拝堂）

大地から水を分ける神（同上、1509～10年）

今、こう言われる。

恐れるな、わたしはあなたを贖《あがな》う。あなたはわたしのもの。

わたしはあなたの名を呼ぶ。

水の中を通るときも、わたしはあなたと共にいる。

大河の中を通っても、あなたは押し流されない。

火の中を歩いても、焼かれず、炎はあなたに燃えつかない。

わたしは主、あなたの神、イスラエルの聖なる神、あなたの救い主。（同四三章一～三節）

創造主であるイスラエルの神は、同時に、民を贖う神でもある。「水の中を通るとき」という言葉は明らかに、出エジプトの際の「葦の海」での奇跡の出来事を示している。第二イザヤは、エルサレムへの帰還を、第二の「出エジプト」としてとらえているのであるが、あの出来事は、まさに救済の出来事であったことを思い浮かべるならば、今回の「新しい出エジプト」も、歴史のなかで働く神の贖いの行為、つまり救済の行為なのである。その救済をおこなう神が、天地を創造した神でもある、というのが第二イザヤの主張である。

わたしをおいて神があろうか

さらに驚くべき主張がなされる。イスラエルの神のみが唯一の神であり、他の神々の存在を徹底的に排除するという主張である。


わたしの証人はあなたたち、わたしが選んだわたしの僕だ、と主は言われる。

あなたたちはわたしを知り、信じ、理解するであろう。

わたしこそ主、わたしの前に神は造られず、わたしの後にも存在しないことを。

わたし、わたしが主である。わたしのほかに救い主はない。

わたしはあらかじめ告げ、そして救いを与え、
あなたたちに、ほかに神はないことを知らせた。

あなたたちがわたしの証人である、と主は言われる。

わたしは神、今より後も、わたしこそ主。わたしの手から救い出せる者はない。（「イザヤ書」四三章一〇〜一三節）

ここで預言者は、ヤハウェみずからが唯一の神であることを予め告知し、イスラエルの民に救いを与え、ほかには神は存在しないことを知らせたのであり、イスラエルの民はこのことをあらゆる国民に対して証言しなければならないと強調している。

イスラエルの王である主、イスラエルを贖う万軍の主は、こう言われる。

わたしは初めであり、終わりである。わたしをおいて神はない。

だれか、わたしに並ぶ者がいるなら、声をあげ、発言し、わたしと競ってみよ。

わたしがとこしえの民としるしを定めた日から、
来るべきことにいたるまでを告げてみよ。

恐れるな、おびえるな。既にわたしはあなたに聞かせ、告げてきたではないか。

あなたたちはわたしの証人ではないか。

わたしをおいて神があろうか、岩があろうか。わたしはそれを知らない。（同四四章六～八節）

わたしこそ神であるというものがいたら、名乗りを上げてみよ。しかし、わたしのほかにお前たちが頼るべき岩はないのである。お前たちは、このわたしに依り頼み、希望のない現状を克服すべきである。


主が油を注がれた人キュロスについて、主はこう言われる。

わたしは彼の右の手を固く取り、国々を彼に従わせ、王たちの武装を解かせる。

扉は彼の前に開かれ、どの城門も閉ざされることはない。

わたしはあなたの前を行き、山々を平らにし、
青銅の扉を破り、鉄のかんぬきを折り、
暗闇に置かれた宝、隠された富をあなたに与える。
あなたは知るようになる。わたしは主、あなたの名を呼ぶ者、
イスラエルの神である、と。
わたしの僕ヤコブのために、わたしの選んだイスラエルのために
わたしはあなたの名を呼び、称号を与えたが、あなたは知らなかった。
わたしが主、ほかにはいない。わたしをおいて神はない。
わたしはあなたに力を与えたが、あなたは知らなかった。
日の昇るところから日の沈むところまで、人々は知るようになる。
わたしのほかは、むなしいものだ、と。
わたしが主、ほかにはいない。
光を造り、闇を創造し、平和をもたらし、災いを創造する者。
わたしが主、これらのことをするものである。（同四五章一～七節）

ゾロアスターの影響

ここで引用した箇所は、ペルシアの王キュロスについての託宣の一部である。キュロスは

自覚していないが、キュロスの前を行き、その行進を容易にしたのはヤハウェである。キュロスをしてバビロンの青銅の扉を破り、捕囚の民を解放させるのは、ヤハウェ以外にはない。

「わたしをおいて神はない」という言葉によって、神の唯一的普遍的性格が強調されている。他のいかなる神も、主に対抗して神的威厳を主張することはできない。彼のみが「光と闇」を創造したからである。

しかし、ここで注目すべきことは、この「光と闇」という表現が、まさにペルシア王キュロスの託宣の中でもちいられていることである。

前六世紀初め、つまり捕囚の直前に、イランではゾロアスター（前六三〇～前五五三頃）が活動し、アフラマズダ神のみの礼拝を宣教した。この神は多くの神の中の一人ではなく、唯一の神であった。彼は世界を創造し、宇宙を支配する。

　そのことをあなたに尋ねます、主よ、正しく答えてください……誰が太陽と星の道を造られたのですか、あなたでなければ誰が天の満ちかけを行うのですか。誰がこの下の大地を支え、天が落ちないように誰が支えるのですか。誰が川々と植物を造られたのですか……善き匠《たくみ》として誰が光と闇を創造されたのですか……わたしはあなたをすべてのものの創造者として認めます。(2)

ここには明らかに第二イザヤとの接点を見出すことができる。第二イザヤの先輩であるエゼキエルにも、このゾロアスターの影響を見ることができる。

主の手がわたしの上に臨《のぞ》んだ。わたしは主の霊によって連れ出され、ある谷の真ん中に降ろされた。そこは骨でいっぱいであった。……そのとき、主はわたしに言われた。「人の子よ、これらの骨は生き返ることができるか」。わたしは答えた。「主なる神よ、あなたのみがご存じです」。そこで、主はわたしに言われた。「これらの骨に向かって預言し、彼らに言いなさい。枯れた骨よ、主の言葉を聞け。これらの骨に向かって、主なる神はこう言われる。見よ、わたしは、お前たちの中に霊を吹き込む。すると、お前たちは生き返る。わたしは、お前たちの上に筋をおき、肉を付け、皮膚で覆い、霊を吹き込む。すると、お前たちは生き返る。そして、お前たちはわたしが主であることを知るようになる」。（「エゼキエル書」三七章一～六節）

これがあの「The head bone connected with the neck bone」という「復活信仰」を歌う黒人霊歌の「ドライ・ボーンズ」の出典であるが、エゼキエルがゾロアスターの教えを知っていた可能性をここに見ることができる。偉大なる光の神アフラマズダが、いつの日にか、死者を蘇らせ、この地上で正義の人々の身体を回復し、永遠に生きることを赦《ゆる》すという信仰である。

ヘロドトスの記述によれば、前五世紀ごろ、ゾロアスターの信徒たちは屍体《したい》を埋葬せず、裸体のまま太陽の光の下に置いたという。太陽は、その霊魂を天に導く光の道であったからである。屍体は、おそらく寂しい場所に放置され、鳥や獣の餌食になったかもしれない。骨は骨壺か、「沈黙の塔」と呼ばれる特定の場所に移されたとも言われている。(3)

ユダヤ教では、人間の骨は不浄であって、それに触れることは許されなかったのに対し(「民数記」一九章一六節、「マタイによる福音書」二三章二七節)、ゾロアスターの教義によれば、屍体は汚れていても、太陽の光にさらされた骨は、汚れたものとは考えられていない。エゼキエルが骨で埋まった谷に来たとき、汚れを感じなかったのは、このようなゾロアスターの影響があったからかもしれないのである。

したがって、エゼキエルの後輩である第二イザヤが、ゾロアスターの教義をある程度知っていた可能性は否定できないであろう。しかし、それにもかかわらず、第二イザヤは、エゼキエルの思想（イスラエルの神がエルサレム神殿を去って、ケバル川に臨在する）をはるかに超えて、イスラエルの神が世界を創造した唯一の神であると主張した点で、彼以前の預言者たちを凌駕《りょうが》したのである。

苦難の僕とは誰か

しかしながら、この預言者にはもう一つの顔が隠されている。彼の預言には「僕の歌」とよばれている歌が四つ含まれているが（「イザヤ書」四二章一〜四節、四九章一〜六節、五〇章四〜九節、五二章一三節〜五三章一二節）、とりわけ、その第四歌は「苦難の僕の歌」と呼ばれているものである。

この苦難の僕がいったい誰なのか。また、その苦難とは何なのか。古来、その解釈をめぐって多くの議論がなされてきた。僕は、集団であって、ユダヤ民族が受けてきた苦難の歴史を指すのか、あるいは預言者自身、ヨシヤ、ヒゼキヤなどのユダの王、キュロス等、歴史的人物、あるいはメシアが受ける苦難を指すのか、実に様々の提案がなされてきたのであるが、いずれも説得性に欠けていて、最終的な結論が出ていないというのが、現状である。

このような僕の特定という問題のほかに、いったい、この「僕の歌」が第二イザヤ自身に帰せられるのか、否かという謎も残されている。僕の歌は本来独立していたのであるが、後に第二イザヤに組み込まれたものであるから、これらの四つの僕の歌を取り除いても、文脈が通じると主張する者もいれば、否、たとえ他の彼の預言と見かけ上かけ離れているように見えても、これを外して第二イザヤを解釈してはならないと主張する者もいる。

わたしは、この「苦難の僕」を「世界の創造者たる主への信仰」とのかかわりのなかで考えるべきではないかと思っている。

第二イザヤは、一度はキュロスに、イスラエル王に授けられる古い祭儀的な称号「メシア」を与えている。キュロスは寛容な宗教政策をとったから、第二イザヤは、ペルシアの政治的管理の下での、純粋な宗教的共同体としての新国家を構想していたのかもしれない（「イザヤ書」四四章二四節〜四五章一節参照）。

ユダの民にとっては、ダビデの系統以外の者にメシアの称号を与えることは想像できないことであった。しかし、第二イザヤは世界を統治するキュロスを動かす神は当然、世界を創造した神であると考えたのである。とはいえ、彼のキュロスに対する託宣の中にはしなくも「わたしはあなたの名を呼び、称号を与えたが、あなたは知らなかった」（「イザヤ書」四五章四節）とある言葉が示すように、これは一方的な第二イザヤの思い込みにすぎず、彼はこの構想を早期に中止せざるをえなかったのである。

そもそも唯一神という考え方は、たとえ多神教的環境のなかにあっても、世界帝国では成立するものであった。アッシリアでは、アッシュールが主神であり、バビロニアではマルドゥクがそうであった。国家が専制国家であるかぎり、一人の王つまり一人の神のみが世界を統治したのである。

第二次世界大戦中の天皇専制下の日本において、どこに多神教が存在しえたであろうか。現在でも天照大神《あまてらすおおみかみ》の天孫降臨を表す「真床追衾《まとこおうふすま》」の儀式が天皇の即位式の大嘗祭《だいじょうさい》におこなわれ、天皇は明らかに唯一神である天照大神と一体化する。現在では天皇は政治的には国の象徴にすぎないが、かつては政治と宗教とを一元化した現人神《あらひとがみ》であった。現人神はまさに唯一神であった。したがって、天皇において具現化していた一神教は、本来政治と強いつながりを持つ産物なのである。

不完全な唯一神

イスラエルにおいても例外ではなかった。前六二二年、ユダ王ヨシヤ（前六四〇～前六〇九）は改革に乗り出した。彼がエルサレム神殿の修復を命じたとき、一巻の巻物が発見された。おそらく、この巻物は現在の「申命記」一二～二六章の核の部分（「原申命記」）であったと考えられている。

この巻物の発見に触発された王は、ヤハウェのみを唯一のイスラエルの神とし、異教の神々を神殿から排除した。さらに、地方の聖所（「高き所」）を廃止し、エルサレム神殿のみに祭儀を集中したのである（「列王記」下二二～二三章）。

聞け、イスラエルよ。我らの神、ヤハウェは唯一のヤハウェである。あなたは心を尽くし、魂を尽くし、力を尽くして、あなたの神、ヤハウェを愛しなさい。

この「申命記」の言葉（六章四～五節）が、改革の旗印であった（「列王記」下二三章三節参照)。「列王記」では、彼の宗教的政策が強調されているが、ユダ王国の存亡を賭けたナショナリズム発揚の契機として、王はこの発見を巧みに利用したのである。まさに国家神としてのヤハウェが認識されたのである。

ヨシヤ王による統治の下、一時的にユダ王国は国力復興の時期を迎えた。しかしながら、ヨシヤ王はエジプトに対する無謀な挑戦によって(彼はあまりにも自国の国力を過大評価しすぎた)、メギドで無念にも戦死してしまう。ここに、ヨシヤの改革は、春の日の淡雪のように消え去ってしまった(前六〇九年)。「エゼキエル書」八章からわかるように、神々の偶像が神殿に戻ってきた。その後時を経ずして、ユダ王国は滅亡への道を歩んだのである。このことについては前述した。

ここで、「申命記」および「申命記的歴史著作」の「唯一神」についての記述と、第二イザヤのそれとを比較して見よう。

ヤハウェこそ神であり、ほかに神はいない(「申命記」四章三五節)

上の天においても下の地においてもヤハウェこそ神であり、ほかに神はいない(同四章三九節)

ヤハウェこそ神であって、ほかに神はない(「列王記」上八章六〇節)

地上のすべての王国が、あなただけがヤハウェなる神であることを知るに至らせてくださ

い（「列王記」下一九章一九節）

一方、第二イザヤではどうであろうか。

わたしをおいて神はない。正しい神、救いを与える神は、わたしのほかにはない（「イザヤ書」四五章二一節）
わたしは神、ほかにはいない（同四五章二二節）
わたしこそヤハウェ、わたしの前に神は造られず、わたしの後にも存在しない（同四三章一〇節）

ここには明らかに「申命記」と第二イザヤとの間に、「唯一神」という概念、あるいは少なくとも「われわれの神はヤハウェのみである」という考え方についての共通点が見られ、けっして第二イザヤに特有のものではないことが確認できる。ただし、「申命記」の場合、創造の神という性格は希薄である。

さらに十戒のなかにある「あなたには、わたしをおいてほかに神があってはならない。あなたはいかなる像も造ってはならない」（「申命記」五章七〜八節）という禁令と、その前の、「あなたたちは注意して、あなたたちの神、ヤハウェがあなたたちと結ばれた契約を忘れず、あなたの神、ヤハウェが禁じられたいかなる形の像も造らぬようにしなさい。あなたの神、ヤハウェは焼き尽くす火であり、熱情の神だからである」（「申命記」四章二三〜二四節）と述べられていることに、われわれは注目すべきであろう。

新共同訳では「熱情の神」と訳されている「エル・カンナー」は、以前の口語訳では「ねたむ神」と訳されていた。「ねたむ神」は明らかに他の神々の存在を受容することのできない神なのである。その点でまだ、完全な意味での「唯一神」ではないと言わざるをえない。

一方、第二イザヤも、イスラエル人のもとにエジプト人がひれ伏し、「神は確かにあなたのうちにいます。ほかにはおられない。他の神々はむなしい」と告白する様を想像しているように、唯一の神は「イスラエル」の神なのである。このように両者において「一神教的」性格が見られることは確かではあるが、民族的要素を捨てきった神観念ではないことも明らかであろう。

苦難を通して贖う

さて第二イザヤは最初、そのような「申命記」的なヤハウェが主神として中心に立つイスラエル復興を目指して、その実行者としてのメシアをキュロスに求めた。しかし、前述したように、それは所詮夢のような構想にすぎず、彼は方向転換せざるをえなかったのである。キュロスは確かに宗教的には寛容な政策を取り、エルサレムへの帰還と神殿再建の許可を与えたが、それはあくまでもペルシアの政治的政策の一環にすぎなかったからである。
では、ヤハウェの使命を果たすものは誰か。ダビデもモーセも彼の視野に入ってはこない。彼はここで、イスラエルの伝統からは思い浮かぶことのない「まったく新しいこと」を預言するのである。彼はその使命を「苦難の僕」に託したのである。少々長いが全文を引用する。

見よ、わたしの僕は栄える。はるかに高く上げられ、あがめられる。
かつて多くの人をおののかせたあなたの姿のように、彼の姿は損なわれ、
人とは見えず、もはや人の子の面影はない。
それほどに、彼は多くの民を驚かせる。彼を見て、王たちも口を閉ざす。
だれも物語らなかったことを見、一度も聞かされなかったことを悟ったからだ。

わたしたちの聞いたことを、誰が信じえようか。
主は御腕の力を誰に示されたことがあろうか。
乾いた地に埋もれた根から生え出た若枝のように、この人は主の前に育った。
見るべき面影はなく、輝かしい風格も、好ましい容姿もない。
彼は軽蔑され、人々に見捨てられ、多くの痛みを負い、病を知っている。

彼はわたしたちに顔を隠し、わたしたちは彼を軽蔑し、無視していた。

彼が担ったのはわたしたちの病、彼が負ったのはわたしたちの痛みであったのに、
わたしたちは思っていた、神の手にかかり、打たれたから、彼は苦しんでいるのだ、と。

彼が刺し貫かれたのは、わたしたちの背《そむ》きのためであり、
彼が打ち砕かれたのは、わたしたちの咎《とが》のためであった。

彼の受けた懲《こ》らしめによって、わたしたちに平和が与えられ、
彼の受けた傷によって、わたしたちはいやされた。

わたしたちは羊の群れ、道を誤り、それぞれの方角に向かって行った。

そのわたしたちの罪をすべて、主は彼に負わせられた。

苦役を課せられて、かがみ込み、彼は口を開かなかった。

ほふり場に引かれる小羊のように、毛を切る者の前に物を言わない羊のように、
彼は口を開かなかった。

捕らえられ、裁きを受けて、彼は命を取られた。

彼の時代の誰が思い巡らしたであろうか。

わたしの民の背きのゆえに、彼が神の手にかかり、命ある者の地から断たれたことを。

彼は不法を働かず、その口に偽りもなかったのに、その墓は神に逆らう者と共にされ、富める者と共に葬《ほうむ》られた。

病に苦しむこの人を打ち砕こうと主は望まれ、彼は自らを償いの献げ物とした。

彼は、子孫が末永く続くのを見る。

主の望まれることは、彼の手によって成し遂げられる。


彼は自らの苦しみの実りを見、それを知って満足する。

わたしの僕は、多くの人が正しい者とされるために、彼らの罪を自ら負った。

それゆえ、わたしは多くの人を彼の取り分とし、彼は戦利品としておびただしい人を受ける。

彼が自らをなげうち、死んで、罪人のひとりに数えられたからだ。

多くの人の過ちを担い、背いた者のために執り成しをしたのは、この人であった。（「イザヤ書」五二章一三節～五三章一二節）

ここでは、その他の三つの僕の歌とはまったく趣《おもむ》きの異なる響きを聞き取ることができる。この僕は政治的な力もなく、宗教的に優れているわけでもなく、まして超越的な存在でもない。彼は人々に軽蔑され、捨てられた存在であって、多くの痛みを負い、病を持っている。キュロスとはまったく逆の存在である。

しかも、彼がこのような罰を受けているのは、彼自身の罪のせいであって、その他に原因があるわけではない。人々は単純にそう思っていた。

しかし、彼は人々に代わって、人々の病や悲しみを担い、人々の咎、不義のために懲らしめを受け、その傷によって、人々を癒す僕なのである。この僕は、罪がないにもかかわらず、みずから進んで罰を受ける。ここには、僕の受動的ではない、むしろ能動的な姿を見ることができる。「苦難」という受動を通して、「贖《あがな》い」という能動を生み出す神の性格がここではあらわになっているのである。

隠れたる神と唯一なる神

では、先程述べた第二イザヤの「世界の創造者としての主」と「苦難の僕」との間には、いかなる関係が存在するのであろうか。

第二イザヤは、世界の再創造を現出するマルドゥクの創造劇に眼を奪われている民に対して、ヤハウェこそが世界を創造したのであると、ヤハウェの力の優位性を主張した。しかし、彼の場合、けっして世界創造のみを単独で取り上げるのではなく、あくまでもイスラエルの救済とのかかわりを失うことはない。天地を創造する神は、またイスラエルを贖う神なのである。創造と歴史とは深く結びついているのである。

そして、この世界の歴史を導く神はヤハウェのみである。彼は捕囚の民であるイスラエルを導く神から、世界の歴史を導く神へと、輪を広げるのである。その時点では、彼の神は栄光にみちた主である。しかしながら、彼はそこからその輪を再びイスラエルへと収斂《しゅうれん》させせる。そして、さらにそのイスラエルの中心としての「僕」の苦難へと収斂させるのである。

この「栄光」から「苦難」への転換はまさに逆説であり、謎としか言いようがないが、おそらく第二イザヤにとって、「栄光」から「苦難」へと下り、そのことを通して神の栄光をあらわにするこの僕は、個人であれ、集団であれ、歴史の彼方に待望されるメシアとして位置づけられていたのではないだろうか。後にキリスト教が、イエスの十字架という苦難を通して人類の罪の贖いを説いたときに、この苦難の僕をキリストの予表として取り入れたことは周知の事実である（「使徒言行録」八章二六節以下参照）。

もちろん、第二イザヤはキリストの予表としての「苦難の僕」を預言したのではない。ともあれ、「上昇」と「下降」、「栄光」と「苦難」は、「唯一なる神」と「隠れたる神」という当時のユダヤの民の神理解を代弁しているのであり、それはまた同時に、「栄光への回帰の期待」と「苦難の現実」の狭間で、ディアスポラの民としての「ルサンチマン」（怨恨）を表しているように見える。ユダヤの民の神理解と民族感情とは分かちがたく重なり合っているのである。

パレスチナの転変

さて、キュロスのバビロン入城によって、バビロンの捕囚の民は解放され、またエルサレム神殿再建の勅令も出された（「エズラ記」一章二節以下）。その再建のために民の帰還も許された。

しかし、再建計画は遅々として進まず、預言者ハガイとゼカリヤの鼓舞によって、ようやく前五二〇年に着手し、前五一五年に完成した。ソロモン神殿に対して、これを第二神殿と呼び、これ以降ローマによる破壊（紀元後七〇年）までの時代を第二神殿時代と呼びならわしている。

このペルシア時代については、あまり資料が残っていない。おそらくペルシアの宗教的寛容政策によって、第二神殿での祭儀も復活し、ユダヤ人たちはペルシアの監督下とはいえ、政治的にも経済的にも、ある程度安定した生活を送っていたと思われる。

ところがギリシアのアレクサンドロス大王（前三三六～前三二三）が前三三三年、イッソスの戦いでペルシアのダレイオス三世（前三三六～前三三一）を撃破した時点で事情は大きく変化するのである。ヘレニズム文化がパレスチナにも浸透し、ユダヤ人にも大きな影響を及ぼした。とりわけ、上層階級や祭司階級は、進んでこれを受容しようとした。

アレクサンドロス大王の死後、その大帝国はいくつかに分裂したのであるが、パレスチナは最初、エジプトのプトレマイオス王朝に支配され、その後、シリアのセレウコス王朝の支配下に置かれた。

そのセレウコス王朝のアンティオコス四世エピファネス（前一七五～前一六三）は、ヤハウェ礼拝を禁止し、安息日や割礼の規定を守る者らを処刑し、エルサレム神殿にゼウス・オリンポスに捧げる祭壇を築いたため、マカバイ家を中心とする反乱が起こった（前一六七年）。これらの出来事は外典の「マカバイ記」に記述されている。

紆余曲折《うよきょくせつ》を経て、この反乱はユダヤに政治的独立をもたらしたのであるが（ハスモン王朝の成立）、これは、東方のパルティア王国がセレウコス王朝に圧力をかけたため、それとの戦争に忙殺されたこと、また、セレウコス王朝内部での王位をめぐる争いが燃え上がったこと等の影響が、ユダヤ側に大きな利点となったためである。

さらに幸運なことに、後にギリシアを破り、パレスチナを支配することになるローマは、まだ台頭し始めたばかりであった。しかし、神学的には、この政治的独立の獲得は、神の土地を巡る約束の成就であった。

黙示文学

このような独立運動と前後して、ヘレニズム化に抵抗する「黙示文学《アポカリプス》」が盛んに書かれた。アポカリプスとは「除幕する」という意味のギリシア語であるが、預言者たちの終末期待に立脚しつつ、世界の歴史を展望している。その代表が「ダニエル書」である。

この書は、ネブカドネツァルとベルシャツァル王の宮廷を舞台として繰り広げられる、ダニエルとその友人たちの信仰と戦いの物語（一〜六章）と、神の支配と権力とに関するダニエルの幻（七〜一二章）に分けられる。

ダニエルは、一つの巨像（頭部は純金、胸と両腕は銀、腹部と腿《もも》は青銅、すねと足の一部は鉄、一部は陶土からなる）が、人手によらず切り出された一つの石にくだかれてしまうというネブカドネツァルの見た夢を解き明かし（二章）、彼自身も四つの大きな獣（七章）、雄羊と雄山羊（八章）の幻を見るのであるが、これらは、相次ぐ世界帝国（バビロニア、メディア、ペルシア、ギリシア）の歴史も神によって予定されており、最後には神によって審判を受け、神の支配が到来するという歴史観を示している。

舞台はバビロニアの宮廷となっているが、実際はアンティオコス四世エピファネスを暗に示す抵抗文学である。エピファネスは、前述したように、エルサレム神殿にゼウス・オリンポスに捧げる祭壇を築き、マカバイによる抵抗運動をひきおこした張本人である。したがって、「ダニエル書」の示す歴史観は、迫害を受けていた人々を鼓舞するものであった。

彼はいと高き方に敵対して語り、いと高き方の聖者らを悩ます。
彼は時と法を変えようとたくらむ。
聖者らは彼の手に渡され、一時期、二時期、半時期がたつ。
やがて裁きの座が開かれ、彼はその権威を奪われ、滅ぼされ、絶やされて終わる。
天下の全王国の王権、権威、支配の力は、いと高き方の聖なる民に与えられ、

その国はとこしえに続き、支配者はすべて、彼らに仕え、彼らに従う。（「ダニエル書」七章二五〜二七節）

「彼」とは、アンティオコス四世を指している。彼の支配がいかに強大に見えても、結局は滅びにいたる。そして、神の支配が始まるのである。

見よ、「人の子」のような者が天の雲に乗り、
「日の老いたる者」の前に来て、そのもとに進み、
権威、威光、王権を受けた。
諸国、諸族、諸言語の民は皆、彼に仕え、
彼の支配はとこしえに続き、その統治は滅びることがない。（同七章一三〜一四節）

終末論的メシアと政治的メシア

ここでは天の雲に乗って来るメシア的存在が待望されている。預言者の場合、メシアは歴史の地平に待望されているのに対し、ここでは天からやって来る超自然的メシアが待望されている。黙示文学においては、水平的な見方よりも、垂直的見方が顕著になる。雲に乗って来る「人の子」（メシア）とともに、新しい時代が始まるのである。

この世で迫害を受ける義人たちは、この闇の世が光の勢力によって打ち破られ、新しい世が始まるという希望のなかに慰めを見出したであろう。第二イザヤにも見られた「光と闇」、「古い時代と新しい時代」という考え方をより鮮明にした二元論（「いと高き方は一つではなく、二つの世を造られた」「エズラ記」〔ラテン語〕七章五〇節参照）や宇宙論的終末思想は、紀元前二世紀から紀元後一世紀までの間に書き記された黙示文学の特徴である。

もちろん、終末論的メシアのみが待望されていたわけではない。政治的メシアも待望されていた。マカバイたちによる独立運動も、神の土地授与の約束と深く結びついていたし、「ダビデの裔《すえ》」が新しい王として、かつてのダビデ－ソロモン王国の政治的再興をもたらすであろうという考えも、やはりメシア運動の一環であった。

とりわけ、ローマ時代には武装した集団であるシカリ派（ラテン語の「短剣《シカ》」に由来する）が、軍事行動を通してローマを約束の土地から追放しようとした。イエスも、ローマやエルサレムの指導者たちによって、そのようなグループに属するとみなされた可能性も否定できない。十字架刑は反逆者に適用される刑であり、「ナザレのイエス、ユダの王」という十字架に打ちつけられた「罪状書き」は、そのことを如実に示しているからである。

後になると、ゼロータイ派（ギリシア語で「熱心なる者」の意）が登場する。彼らはシカリ派と同様、武力闘争を主眼としたグループである。紀元後六〇年前後に北部のガリラヤなどを中心にパレスチナ各地でローマに対する反乱が頻発していたが（「使徒言行録」五章三六節以下）、六六年に、ある事件を契機として全面的な反ローマ戦争へと発展した。

戦争は長期化したが、七〇年、エルサレムと神殿破壊によって終止符がうたれた。これによって、ユダヤ人のエルサレムへの立ち入りが禁止された。悲劇的結末で終わったヘロデの要塞マサダでの籠城《ろうじょう》も、この戦争での出来事である。指導者エレアザルは、勝利の可能性のないことを知って、屈辱的降伏よりも、籠城者の自由意思による自決を選んだ。敗北のなかの勝利であった。全員の自決を前にしておこなった彼の演説は次のようなものである。

高邁《こうまい》なる友よ、われわれはずっと以前に、決してローマ人たちの召使にも、また人類の唯一の真にして義なる主である神自身以外のなんびとの召使にもならないと決心したのであるから、今こそこの決意を実践して真なるものとすべき時が来たのである。そして、かつては、危険を伴わなかったとはいえ、奴隷になることを甘受しなかったのに、今になって奴隷とされた上さらに耐えがたい処罰をえらぶという、自己矛盾をおかしているとの非難をうけないようにしようではないか。……われわれが、一日のうちに捕えられるであろうことは、非常にはっきりしているが、最も親愛なる同志たちといっしょに、光栄ある死をえらぶことはまだできる。これは、われわれの敵が、われわれを生きながら捕えようといかに望んでいるにしても、いかなる手段によっても妨げられないことなのである。……それ自体難攻不落であったこの要塞も、われわれの救いの手段ではないと分ったからである。しかも、まだ豊富な食料や、大量の兵器や、われわれの必要とする以上の必需品をもちながら、われわれは神自身により、明らかにあらゆる救出の望みを絶たれている。われわれの敵の方へ吹きつけられた火の手は、自然にわれわれの手でつくった城壁の方へ向きをかえたのではなく、これはわれわれが同胞に対して、最も不遜《ふそん》かつ無法な仕方でおかしてきた多くの罪に対する、神の怒りの結果だったのである。このことに対する罰を、ローマ人たちの手からでなく、われわれ自身の手によって執行される、神自身からのものとして受けとろうではないか。なぜなら、その方がもう一つの方よりも穏やかなものであるだろうから。

辱《はずかし》めを受けるまえに、われわれの妻たちを、そして奴隷の経験をするまえにわれわれの子らを死なせよう。そして、かれらを殺害したのち、われわれは互にあの光栄ある恩恵をあたえ合い、われわれのためのすばらしい弔《とむら》いの記念として、自由を保持して行こうではないか。(4)

ちなみに、このマサダ伝説は、第二次世界大戦中のワルシャワ・ゲットーでの抵抗運動の人々に大きな力を与えている。

苦難を打ち破るメシア

その後ローマが、かつてのセレウコス王朝のように、エルサレムを軍事植民地にしようとしたとき、シモン・バル・コセバがラビ・アキバの支援の下に立ち上がった（一三二～一三五年）。ラビ・アキバは、「民数記」二四章一七節の「星の子」（バル・コクバ）を彼に当てはめ、彼をメシアと見なし、バル・コクバと呼んだ。バル・コクバの反乱は失敗し、アキバ自身も殉教の死を遂げたが、彼は「シェマア・イスラエル」を唱えながら死んだという。かくして彼は、ユダヤ教の殉教者の模範としてあがめられるようになった[5]。

以上見てきたように、終末論的メシアであれ、政治的メシアであれ、このメシアは「苦難」に耐えるメシアではなく、「苦難」を打破しようとするメシアである。一時的にせよ、政治的独立を獲得したユダヤの民の意識を表していると言えよう。

さて、第二イザヤの述べる「世界を創造した唯一の神」と「苦難の僕」の預言は、相反するものではなく、「栄光への回帰の期待」と「苦難の現実」の狭間にあるユダヤの民の神理解と民族感情（ルサンチマン）の表出であった。バビロンから解放され、ユダヤに帰還した民は、ペルシア時代には、宗教的には平穏な時代を送るが、ギリシアの支配が始まると、再び苦難の時代を迎えることになる。この時代に、黙示文学が現れ、終末論的メシアが期待されるようになった。しかし、マカバイによる独立運動が起こり、一時的に政治的独立を獲得した。

やがてローマの支配が始まると、再びメシア待望が再燃し、自称・他称のメシアが続出した。なかでもバル・コクバ（反乱の失敗後は「バル・コジバ」〔虚偽の子〕と呼ばれた）は有名である。

その後も、ユダヤの歴史において、民が苦難の時代を迎えると、メシアが登場し、その都度、人々は熱狂した。とりわけ、一七世紀に現れたサバタイ・ツヴィはユダヤ人の間に熱狂の渦を巻き起こしたことで有名である。このようにユダヤ教では、メシアはつねに待望され続けてきた。

この点で、イエスをメシア（キリスト）とするキリスト教との決定的な違いがある。ユダヤの民は依然としてメシアを待望し続けているのである。その意味で、ユダヤ教徒は「待望する民」と言えるかもしれない。

第八章　律法の神――ユダヤ教の成立

自国史の編纂と律法の完成

ユダヤの民の間には、ギリシアからの政治的独立を求める流れと同時に、ハシディーム（敬虔派《けいけんは》）と呼ばれる流れが存在した。彼らは、ヘレニズムへの傾斜に抵抗し、古い伝統、とりわけ律法に固執する人々であったが、彼らが、どのような仕方で律法を解釈していったのかを、本章ではいくつかの例をあげて考察しよう。そして、その膨大な解釈が集成されて、ミシュナ、タルムードを形作るようになったのであるが、そのような伝承形成の精神的意味を探るのが、この章の目的である。

バビロン捕囚は、イスラエルの民にとってまさに精神的な試練の場であった。彼らはそのなかで自分たちの過去を振り返って、その原因を探ろうとした。その一つが、自国の歴史の編纂である。それが「申命記的歴史著作」となって、われわれの手元に残されている。

前章で述べたように、そこには「申命記」の精神、「我らの神、ヤハウェは唯一のヤハウェである」（六章四節）が貫かれており、それを基準として、歴代の王の事績が評価されている。多くの王についての「彼は先祖たちが行ったように、主の目に悪とされることをことごとく行った」という評価は、彼らがヤハウェ礼拝から逸脱したことを示している。

とくにマナセの場合、彼の在位期間が五五年にわたったにもかかわらず、彼の事業については、エルサレム神殿に異教の祭壇を築いたことのみが述べられているにすぎない。このことは、その叙述がいかに「申命記」的理念によってなされているかを示している。しかし、そのような偏向にもかかわらず、彼らが自分たちの過去の歴史にこだわったということは、自分たちの伝統を忘れまいとする強い意思を表している。

「トーラー」の完成についても同様なことが言える。現在われわれが手にしている「律法」（「モーセ五書」）は種々の伝承の集成であるが、それを最終的に完成したのが、バビロン捕囚期の祭司たちであった。

彼らは危機的状況のなかで、ヤハウェを創造の主として（「創世記」一～一一章）告白し、さらに歴史の主として告白する。そして、他の諸国民を視野に収めつつ、彼ら独自の役割を再認識するのである。ヤハウェはアブラハムにこう告げる。

わたしはあなたを大いなる国民にし、
あなたを祝福し、あなたの名を高める。
祝福の源となるように。

あなたを祝福する人をわたしは祝福し、
あなたを呪う者をわたしは呪う。
地上の氏族はすべて、あなたによって祝福に入る。(「創世記」一二章二〜三節)

イスラエルが、自己の過ちを深く反省し、ヤハウェへの信頼を失わないかぎり、いかに罪を犯しても、依然として選ばれた民であり続けるという、この言葉は、民の未来のための新しい転換となったのである。

第二イザヤと同様、祭司たちも、ややオプティミスティックであるとはいえ、彼とは異なった仕方で新しい展望を未来のなかに見出そうとしたのである。アブラハムに与えられた「土地」と「子孫」の約束が、土地を失い、民族の存続が危機に瀕している捕囚のなかにあって、改めて想起されるのである。

さらに、彼らが、神殿がもはやない状況のなかで、その中心部をなす律法の集成に異常なほどの情熱を燃やしたことも、このこととは無縁ではない。祭儀に関する規定については、彼らが神殿再建を夢見ていたこととかかわりがあるだろう。しかしそれ以上に、「清浄と不浄」に関する規定への異常なまでのこだわりは、異教の地にあって、民族の存続を願う彼らの願望と無関係ではないであろう。

最も重要な「安息日の規定」

キュロスの勅令によって、バビロンに捕囚されていた民のエルサレムへの帰還が許可された。帰国した民の動向については前章のおわりで述べた。しかしその一方で、エルサレムに帰還せず、バビロンに留まった者も多数いた。

彼らは周囲の民との同化を避けるために、古い伝統的な族内婚（「創世記」二四章三〜四節）を発展させ、共同体の純血性を守るという理由で非ユダヤ人との結婚を禁止した（「彼らと縁組みをし、あなたの娘をその息子に嫁がせたり、娘をあなたの息子の嫁に迎えたりしてはならない」「申命記」七章三節、「ヨシュア記」二三章一二節、「エズラ記」九章も参照）。

彼らは自分たちのアイデンティティ確立のために、あらゆる努力を重ねたのである。「割礼」も、バビロニアの慣習からの隔絶のために、彼らにとってきわめて重要な規定であった。

しかし、とりわけこの時期になって重要視されるようになったのは、「安息日」の規定である。捕囚の地には祭儀をとりおこなう神殿もなく、安息日ごとに「シナゴーグ」（会堂）に集まって、『聖書』を読み、その解釈を聴く習慣が出来上がっていった。

安息日は「ヤハウェの安息日」として、ヤハウェに捧げられた日であり、いかなる仕事もしてはならない日（「出エジプト記」二〇章一〇節）として人々は会堂に集まった。ちなみに、祝日に関する規定のなかで、十戒に含まれているのは、「安息日」のみであり、しかも十戒のなかで最も長いのである。

それゆえに、安息日の規定は、他のトーラーの規定全体に匹敵する重さを持つのである。安息日を聖とすることは、まさにトーラー遵守《じゅんしゅ》のしるしなのであり、意図的にこの規定を破ることは、石打ちによって死刑に処せられるのである（「民数記」一五章三二～三六節）。

安息日の規定が、いかに重要視されていたかを示す一つの出来事がある。時代は異なるが、前一六七年に始まったマカバイの独立運動の際、安息日に戦闘をしかけてきた敵に対して、ユダヤ人たちは「安息日を汚せという王の命令など聞くものか」と言って応戦せず、全員が討ち死にした（「マカバイ記」一　二章二九～三八節）。

しかし、その後、「安息日に我々に対して戦いを挑んでくる者があれば、我々はこれと戦おう」という例外規定を作り、応戦することになり、最後には勝利を収めることとなった（同二章三九～四一節）。そして、最後にはエルサレム神殿から異教の祭壇を除去し（前一六四年一二月）、「宮潔《ハヌカ》め」をした（この出来事を記念するハヌカ祭は、現在でも一二月に祝われている）。

律法学者の台頭――敬虔派からファリサイ派へ

さて、このマカバイによる独立運動には、多くのハシディーム（敬虔派）が参加した。彼らはヘレニズムへの傾斜に抵抗し、古い伝統に固執する宗教的に敬虔な人々であった。彼らは、割礼、祭儀的清浄規定、食事規定、安息日遵守、唯一の神への信仰を宗教性の要素と見なした。イスラエルがこれらを遵守するならば、その救済史的な任務を遂行することができ、違反するならば神に反抗する勢力に打ち負かされてしまうと考えた。

ハシディームの精神的世界を如実に示しているのが、「ダマスコ文書」(1)である。その一部を引用する。

さて、義を知るすべての者よ聞け。神のみわざを悟れ。彼は肉なるすべての者と争い彼を侮《あなど》る者すべてに審《さば》きを下し給うからである。何となれば彼らが彼を棄てて背《そむ》いたとき、彼はイスラエルから、また聖所から顔を隠し、彼らを剣に渡し給うたからである。しかし先祖たちとの契約を思い起こし給うたとき、彼は残る者をイスラエルに残して、これを滅亡に渡し給わなかった。……神は彼らの行為を察し給うた。何となれば彼らは全《まった》き心を以て彼を求めたからである。それで彼は彼らの心をみ心の道に導くために、そして怒りの世代において不信実な者の会衆すなわち道にもとれる者どもになし給うたことを、最後の世代に知らせるために、義の教師を起し給うた。……何となれば彼らは諂《へつら》いの言葉を求め、惑《まど》わしごとを選び、破れ目を探し、首の美わしいものを選び、悪人を正しいとし、義人を悪いとし、契約を犯し、定めを破り、そして相結んで正しい人の魂を責め、直《なお》く歩むすべての者を彼らの魂は忌《い》み嫌い、また彼らを剣を以て迫害し、民の争いを煽動《せんどう》した。それで、神の怒りは彼らの仲間に対して燃え上り、彼らのすべての群れを荒らした。彼らの行為は彼の前にけがれとなった。……

さて、子供たちよ、わたしに聞け。神のみわざを見て悟るように、喜び給うものを選び、憎み給うものを拒んで、彼のすべての道を直く歩むように、そして罪を欲する思いと姦淫の目とを追い求めないように、わたしはあなたがたの目のおおいを取ろう。……それを固く守る者は永遠の生命を得、アダムの栄光はすべて彼らのものとなる。それは神が預言者エゼキエルによって、こう言って彼らに確約し給うた通りである。「イスラエルの子らが、わたしを棄ててさまよったときに、わたしの聖所の務めを守った祭司たちとレビ人とザドクの子孫は、〔わたしに仕えるために〕近よって、脂肪と血とをわたしに〔献げるためにわたしの前に立つであろう〕」(「エゼキエル書」四四章一五節)。祭司たちとはユダの地から出てイスラエルの咎を離れる者であり、〔レビ人とは〕彼らに連なる者である。そしてザドクの子孫とはイスラエルから選ばれた者であり、名を以て呼ばれ、末の日に立つべき人びとである。……先祖のために、彼らの罪を償うために神が立て給うた契約に従って、そのように神は彼らを償い給うであろう。その時期がこれらの年の数に従って完成されるときには、もはやユダの家と結びつくことなくして、おのおのが自分の櫓《ろ》に立たなければならない。城壁は築かれ、定めは遠くになったのである。これらのすべての年の間ベリアルはイスラエルに解き放たれているであろう。それは神がアモツの子、預言者イザヤによって語って言われた通りである。「地に住む者よ、恐れと落とし穴と罠があなたの

上にある」(「イザヤ書」二四章一七節)。(「ダマスコ文書」Ⅰ一～五、一〇～一二、八～Ⅱ一、一四～一六、Ⅲ一八～Ⅳ一四)

ユダヤ教の一分派であるクムラン教団も、このハシディームと密接な結びつきを持っていたと思われる。彼らはエルサレムの祭司たちの贅沢《ぜいたく》さを避けて、「義の教師」の指導の下に死海西岸のクムランの荒野で、独自の共同生活を営み、終末的な教団を作った。彼らの考えでは、世界は光と闇との戦いの中に存在している。

また彼(神)は人を創って、地を支配させ、彼の刑罰の時までそれによって歩むべき二つの霊を人に与え給うた。これすなわち真実の霊と不義の霊である。……真実の由来は光の泉に、不義の由来は闇の源から。義の子らはみな(クムラン教団の人々を指す)光の君に支配され、光の道を歩む。不義の子らはみな闇の天使に支配され、暗黒の道を歩む。闇の天使の故に義の子らはみな迷い、その過まち、罪、咎、背きの行いはすべて時至るまで神の秘密に従って彼(闇の天使)の支配下にある。(「宗規要覧」1QSⅢ一七～二三)[2]

神の意思によれば、試練の日にいたるまで、光の勢力と闇の勢力とのあいだに永遠の戦いがおこなわれる。

しかし神はその思慮の秘密と栄光の知恵とによって、不義の存続する期間を定め給い、刑罰の時には永久に滅ぼし給うのである。かくて始めて世の真実が永遠に現れ出る。……かくて始めて神はその真実によって人のすべての業を清め、御自分のために人の身体をきよめ分ち、その肉から不義の霊をしばらく取り去り、聖霊によってあらゆる悪行から潔め給うのである。（同1QSⅣ一八～二〇）

クムラン教団の説くところでは、トーラー、とりわけ清めの規定を充たす者のみが、来るべき神の国に入ることができる。クムラン教団員は彼ら自身、神の新しい神殿であると考え、古い神殿伝承と黙示的‐終末論的思考とを結びつけた。

紀元後七〇年、ローマがユダヤ人たちのエルサレムへの立ち入りを禁止したことについては既に述べた（二四〇ページ参照）。さらに一三五年のバル・コクバによる反乱失敗によって、ユダヤ人たちは再びエルサレムから追放され、地中海沿岸部やガリラヤ地方を中心とした生活を送らざるをえなくなった。そして、神殿のない生活が再開したのである。そこで、かつての捕囚期と同じような状況が生じた。

このような状況のなかで、今までほとんど問題とされなかったグループが重要になってきた。捕囚期以降、文書化されたトーラーとともに口伝のトーラーも重要になっていたが、それらの解釈者、律法学者の地位が祭司と並ぶようになった。彼らを支えたのは、あのハシディームの流れをくむファリサイ派（ペルシーム〔分離者〕）の民衆的な運動であった。

彼らは、不浄なもの、異教的なるものを全面的に排除し、生活のあらゆる面を律法によって規定しようとした。彼らの主力は、とりわけ中産階級や手工業者であったようである。また、このファリサイ派には律法学者も少なからず属しており、彼らは後にユダヤ教の主流となっていくのである。

律法学者たちの関心は、トーラーが日常のなかで実践されるのを助けることであった。しかし、日常で出会う事件は多様であり、その都度の案件へのかかわり方によって、律法学者によって解釈上の差異が生じ、プロローグの冒頭で述べたように、ヒレル派とかシャンマイ派などの学派を形成することとなった。しかし、それにもかかわらず、彼らが、その後のユダヤ教の基礎を置いたと言ってもよい。

六一三の義務が毎日を律する

「モーセ五書」という文書的「トーラー」は最初から口伝による解明を必要とした。意味の不明確さ、あるいはその妥当範囲に関する疑問が取り除かれねばならないし、規定が実際的に役立つためには、つねに現実に合わせる必要があった。

例えば、『聖書』の「殺してはならない」という禁令が、今日の堕胎《だたい》による殺人に適応可能か否かという問題を考えてみればよいであろう。したがって、具体的状況に応じて、規定は詳細化し、それに応じて、より精密化していったのである。

後代のラビたちは、「モーセ五書」のなかに六一三の規定（ミツヴォート〔義務〕）を見いだした。これは、一年に対応する三六五の禁令と、社会の成員数に対応する二四八の戒めとを足したものである（バビロニア・タルムード「マッコート」〔鞭打ち〕二三b）。つまり、トーラーは、安息日や祝祭日のみならず、毎日のために存在するのであり、あらゆる人間にかかわるものである。

このような戒めや禁令には価値の優劣はなかったから、原理的には、すべてのものが等しく口伝的展開の対象となった。

したがって、例えば、「あなたの父母を敬え」（「出エジプト記」二〇章一二節）も「鳥の巣を見つけ、その中に雛《ひな》か卵があって、母鳥がその雛か卵を抱いているときは、母鳥をその母鳥の産んだものと共に取ってはならない。必ず母鳥を追い払い、母鳥が産んだものだけを取らねばならない」（「申命記」二二章六節以下）も同じように重要なのである。まして、両方に「そうすれば、あなたは幸いを得、長く生きることができる」という同じ理由づけがついているからには、なおさら優劣はないのである。

しかし、それらの取り扱いをめぐって解釈の違いが生じることとなったのは、トーラーが権威あるものとしていかに認められようとも、それが人の営みである以上、当然の成り行きであった。

シャンマイとヒレルの弟子たちは、それぞれ、『聖書』解釈に厳密な態度をとるシャンマイ派と、穏健な立場を取るヒレル派を形成していくのであるが、例えば、あの論争のなかに出てきた「自分自身を愛するように隣人を愛しなさい」（「レビ記」一九章一八節）という言葉のなかにある「隣人」の適応範囲をめぐって、両者の間には解釈の相違があったと想定することができる。

「隣人」はヘブル語では「兄弟」を意味する語がもちいられていて、その意味では、「隣人」はまさに「仲間」のことを指していることは明らかであり、ユダヤ人を意味することは自明である。「ルカによる福音書」一〇章二五節以下には「善いサマリア人」というイエスのたとえ話が残されている。

ある律法の専門家の「わたしの隣人とはだれですか」という問いに対して、イエスは強盗に傷つけられて倒れているユダヤ人を助けたサマリア人を例に出して、隣人愛には人種や身分の区別がないことを説いているのだが、ここには、イエスの言葉がヒレルの流れをくむものであることが認められる。イエスの言葉や行動は、彼独自のものではなく、そのような流れのなかにあって、それをさらに進めたものであると言わなければならない。

ミシュナ――律法を体系化した「六法全書」

紀元後二世紀までは、口伝のトーラーは文字化されることなく伝承されてきた。ラビの弟子たちは、伝承されてきた演説や論争を暗記して学んだ。膨大な量の伝承がたまった。そこで、紀元後二世紀にラビ・ユダ・ハナシーが、ガリラヤ湖畔のティベリアスでこれらの伝承を編集し、ミシュナ（「反復」）を作成した。これが、その後の宗教法の核となった。

ミシュナは、トーラーのテキストの連続的な注釈という形ではなく、体系的に、つまり法律的な形で並べられている。

（一）種子（農業に関する規定）
（二）祝祭（安息日、過越祭など祝祭に関する規定）
（三）女（婚姻、離婚に関する規定）
（四）損害（民法、刑法に関する規定）
（五）聖なるもの（神殿の祭器、犠牲に関する規定）
（六）清浄（儀式的清浄・不浄に関する規定）

の六篇に分かれており、ユダヤ人の生活と行動を規定する「六法全書」である。

ミシュナ（「反復」）の名称の由来については、はっきりしたことは言えない。何世代にもわたって口伝され、反復学習されたことによるのかもしれないし、一つの規定に対して、何人ものラビたちが繰り返し相違する意見を述べていった、反復の歴史を示しているからかもしれない。

生活そのものを制限せず、生活の在り方を限定する

ミシュナでは、「安息日」は第二篇「祝祭」（モエド）の冒頭にあり、二四章、一三九のハラハー（「ガイダンス」の意で「ラビたちの決定」）から成り立っている。しかし、トーラーのなかに直接的な支持をもつハラハーはほとんどない。

安息日に働いてはならない、火をたいたり、料理してはならないという禁令はたしかにあるが（「出エジプト記」一六章二二節以下、三五章二節以下）、ミシュナでは、安息日の食事、衣服などについて、より詳細な規定が述べられる。「トーラーの垣根である」という意識が強い。これらは、文字化されたトーラーを厳密化し、補完しようとするのである。しかし、その基盤そのものは、必ずしも『聖書』に依存してはいない。

安息日に出ていくことには、家のなかにいる者に二つの（あるいは四つの）種類があり、家の外にいる者に二つの（あるいは四つの）種類がある。〔I〕貧しい人が外にいて、家主が家のなかにいるとき、貧しい人が手を家のなかに伸ばし、家主の手のなかに（何かを）入れるか、あるいは、彼がその手から（何かを）取って、それを外に持ち出したなら、そのときは貧しい者に（安息日違反の）罪がある。〔II〕家主が外に手を伸ば

し、（何かを）貧しい者の手のなかに置くか、あるいは、彼が（何かを）貧しい者の手から取って、それを中に持ち込んだなら、家主に罪があって、貧しい者には罪がない。〔Ⅲ〕貧しい者が手を中に伸ばし、家主が（何かを）その手から取るか、あるいは、彼がその手のなかに（何かを）入れ、（貧しい者がそれを）外にもちだしたなら、二人とも罪がない。〔Ⅳ〕家主が手を外に伸ばし、貧しい者が（何かを）その手から取るか、あるいは、彼がその手のなかに（何かを）入れ、（家主がそれを）家のなかに取り入れるなら、二人とも罪がない。（ミシュナ「シャバト」〔安息日〕一・一）

このハラハーは、最初の安息日規定「七日目にはそれぞれ自分の所にとどまり、その場所から出てはならない」（「出エジプト記」一六章二九節）を暗示するが、ここでは「出ていく」が「持ち出す」という意味に拡大解釈されている。安息日には家から通りへ何物も運び出してはならないし、運び入れてもならない。

さらに、「運ぶ」は荷物を持ち上げることと、下ろすことの二つの部分から成り立っている。したがって、上に述べた四つの可能性が出てくるのである（〔Ⅰ〕……〔Ⅳ〕の区別は原文にはない）。最初の場合、戸の外に立っている貧しい者に罪がある。彼が何かを家のなかに入れたからである。第二の場合、家のなかにいる家主に罪がある。彼が何か（食料かお金）を外に与えたからである。

第三と第四の場合には、二人とも罪がない。それぞれが運ぶことの一部しかおこなっていないからである。持ち上げる／手から取る、あるいは、下に下ろす／手の中に入れるのいずれかにすぎないからである。問題は、禁じられている仕事を完全におこなった者のみが有罪である。

では、ラビたちは、どのような仕事をしてはならないと考えていたのか。ミシュナ「安息日」七・二にそれらが列挙されている。

主要な仕事には四〇に一つを欠くだけである。種播《ま》くこと、耕《たがや》すこと、収穫すること、穀物を束ねること、脱穀すること、穀物をひること、穀物をきれいにすること、製粉すること、篩《ふるい》にかけること、ねり粉にすること、パンを焼くこと、羊毛を刈ること、それを洗うこと、それを叩くこと、それを染めること、紡ぐこと、織ること、二つの撚《よ》り糸をつくること、二つの織り糸を織ること、二つの織り糸を分けること、結び目をつくること、結び目を解くこと、二つの縫《ぬ》い目を縫い合わせること、二つの縫い目を縫い合わせるために裂くこと、鹿狩りをすること、それをほふること、その毛皮を剝《は》ぐこと、それを塩づけにすること、その皮を仕上げること、それをそぐこと、それを裁断すること、二字を書くこと、二字を書くために消すこと、建てること、とり壊すこと、消火すること、火をともすこと、槌《つち》で打つこと、一所から他所に持ち運ぶこと。これらが四〇に一つを欠く主要な仕事である。

農耕、建築、家事からなるこれらの包括的な仕事は、「出エジプト記」において安息日の禁令が幕屋の建設の叙述（三五〜四〇章）の直前に置かれている（三五章一〜三節）という事実において、『聖書』との接点をもっている。ラビたちは、このような外的な関連から、幕屋の建設とかかわる仕事は、すべて安息日には禁止されねばならないという内的な結びつきを推論し、そこから三九の仕事を引き出したのである。

さらに仕事だけではなく、他のことにも制限が加えられた。例えば、「民数記」三五章四〜五節、「ヨシュア記」三章四節に書かれている数字から、彼らは巧みに、定められた場所の外で安息日に歩くことの許されている距離を二〇〇〇アンマ（一アンマは約四五センチメートル）、およそ一キロとした（ミシュナ「安息日」二三・四、「使徒言行録」一章一二節参照）。

しかしながら、このような厳密化に対して、いくつかの便法が講じられた。四〇〇〇アンマ離れた二ヵ所の中間に象徴的に安息日の住まいを建て、安息日の始まる前、つまり金曜日の日没までに安息日用の食事を運んでおくことによって、安息日に許された距離を二倍にすることもできた。

活動の自由を拡大するために、ミシュナの教師たちは、「ヨベル書」(3)五〇章一二節では厳しく禁止されていた旅行を許容した（ミシュナ「安息日」一六・八）。少なくとも、安息日に止めることのできない航海は許された。

これらの試みはすべて、モーセのトーラーを生活での必要性に適合するようにするためであった。しかし、それでもなおこれらの規則がわれわれには異質に見えるかもしれない。けれどもユダヤの観点からすれば、これらの規則は、生活そのものに制限を設けるものではなく、生活の在り方を限定するにすぎなかった。安息日には、人々は日常とは異なる別の領域へと分離されるのである。

タルムード——文書化されたミシュナとその注釈・ゲマラ

しかし、このミシュナの集成でもって、解釈の過程が終結したわけではない。ミシュナは、紀元後二世紀から六世紀のラビたちが、学問所において展開した議論のための基礎となった。彼らの仕事は口伝として、ミシュナの膨大な注釈（宗教的‐祭儀的教え、法律的考察、歴史的注釈、伝記的覚書等）をなしているが、これをゲマラ（完成、補完、深化、終結）と呼んでいる。四世紀と五世紀になって初めて、ミシュナとゲマラは文書化された。これがタルムードである。

前述した安息日におこなってはならない仕事の一つ「耕す」について、ゲマラでは次のように書かれている。

このように教えられた。耕すこと、掘ること、溝を作ることはすべて主要な仕事に属する。ラビ・シェケトは言った。土の堆積を取り除く者が、家を建てるために部屋のなかにいるとき、また、耕すために畑にいるときは、罪がある。ラビは言った。穴を埋める者が、家を建てるために部屋のなかにいるとき、また、耕すために畑にいるとき、罪がある。ラビ・アッバは言った。安息日に穴を掘って、土だけを必要とするとき、それゆえに、罪がない。そして、またラビ・イェフダは言った。それ自体で必要でない仕事の場合には、罪がある。（バビロニア・タルムード「シャバト」〔安息日〕七三ａ）

「安息日を心に留め、これを聖別せよ」（「出エジプト記」二〇章八節）という短い十戒のなかの一戒が、ミシュナにおいて、さらにゲマラにおいて、なぜこれほどまでに詳細化していったのであろうか（ミシュナの英訳では約二〇ページ、タルムードの「シャバト」はその四〇倍という膨大な分量である）。

これについては、「イスラエルが安息日を守る以上に、安息日がイスラエルを守る」、あるいは「安息日は、完成し、贖《あがな》われた未来の世界を前もって示している」という言葉をあげるしかない。ユダヤ教徒は、まさにこの「安息日」に彼らの存在証明を見出しているのである。しかしながら、それは、メシアと同様、未来に完成される新しい時代の「しるし」でし

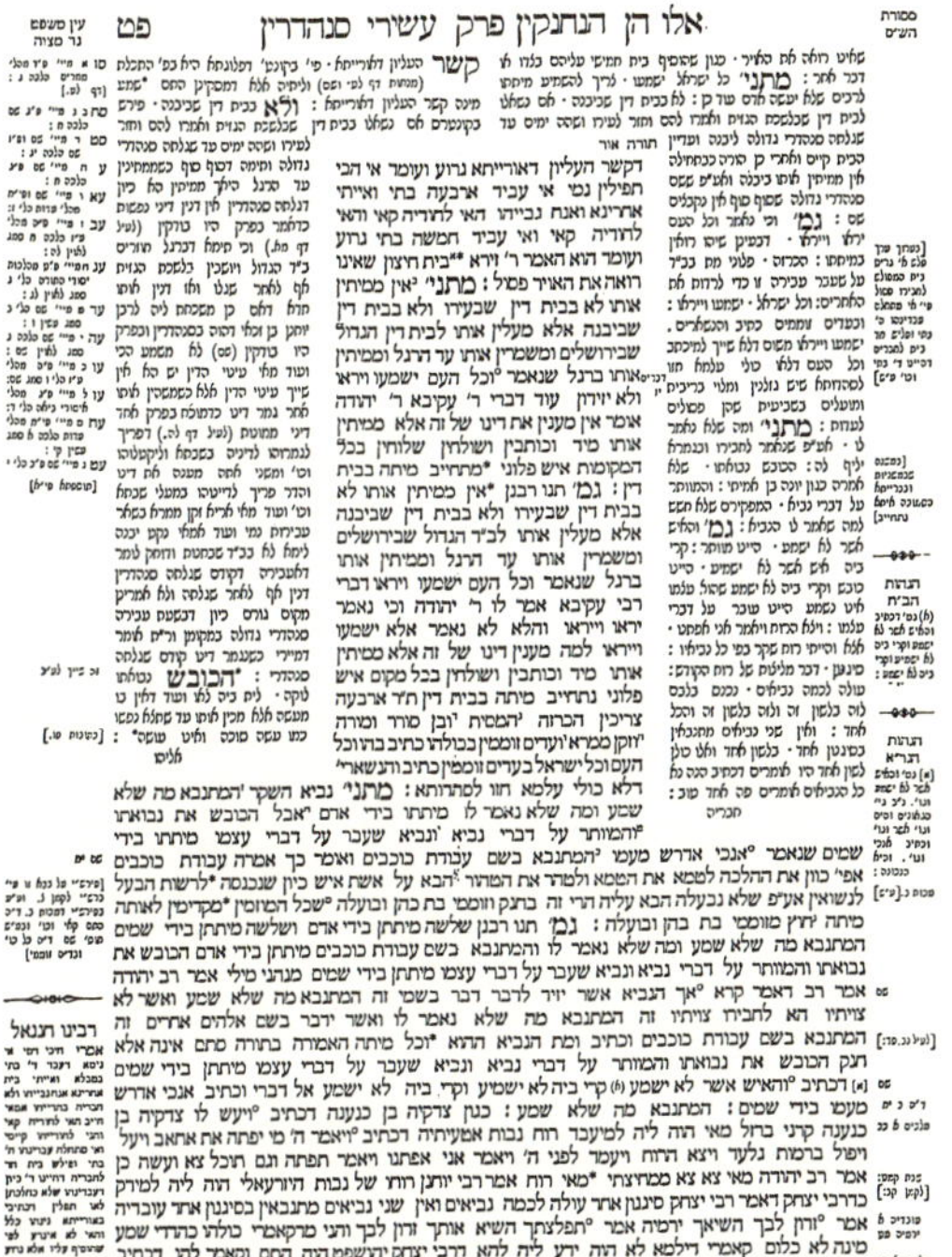
אלו הן הנחנקין פרק עשירי סנהדרין
פט

タルムード「サンヘドリン」（議会）89 a（中央はミシュナとゲマラ、周囲はラビの注釈）

かないのである。

もしイスラエルが安息日を二回正しい仕方で守ることができたならば、直ちに救われるであろう。(バビロニア・タルムード「シャバト」〔安息日〕一一八b)

この言葉は、安息日(律法と読み替えてもよい)遵守の困難さを如実に示しており、今なおそれが実現していないことを語っている。

律法はあくまでもユダヤの民の行動原理であると、プロローグにおいて述べたが、このことは「律法」が単なる社会倫理であることにとどまらず、それを超え、ユダヤの民を衝き動かす「動的な」原理であり、ユダヤの民を「ユダヤの民」たらしめる存在根拠であることを意味している。

われわれは前章の後半において「メシア待望」について知り、この章では、ユダヤの民の律法への熱中について理解してきた。たしかに、この二つの流れは、一見すると、まったく異質の精神的傾向のように見える。しかし、実は、律法への傾斜も、メシア待望と同じく、救済待望の一様式なのであり、ユダヤの民を衝き動かす原理であるということができるであろう。

エピローグ

周辺から中心へ、中心から周辺へ

放浪の遊牧民から定着、王国建設から捕囚、ペルシアによる解放からギリシア圧政、ハスモン王朝からローマによるエルサレム破壊、そして再び放浪へと、イスラエルの民の歴史は、「周辺から中心へ」と「中心から周辺へ」という動きの繰り返しであった。しかし、このような繰り返しのなかで、イスラエルはむしろ「周辺」にあってこそ、その本来的な在り方を振り返りえたのではないだろうか。「中心」は遂に安住を生み出し、堕落への道をはらむからである。「周辺性」こそ彼らの本質であると極言してもよい。ただし、誤解を避けるために一言すれば、それは現実的な場所を意味しているのではない。

現在パレスチナには「イスラエル」国家が存在している。これは、ディアスポラの民が積年抱いてきた「シオニズム」の成果であり、放浪のユダヤ人は再びエルサレムにその「中心」をもつことになった。しかし、これは、あのアブラハムに与えられた「土地の約束」の真の成就なのであろうか。現在直面しているパレスチナ問題は簡単に解決されそうにもない。預言者イザヤが語った預言はまだ現実となってはいない。

終わりの日に
主の神殿の山は、山々の頭として堅く立ち、どの峰よりも高くそびえる。
国々はこぞって大河のようにそこに向かい、多くの民が来て言う。
「主の山に登り、ヤコブの神の家に行こう。
主はわたしたちに道を示される。わたしたちはその道を歩もう」と。
主の教えはシオンから、御言葉はエルサレムから出る。
主は国々の争いを裁き、多くの民を戒められる。
彼らは剣を打ち直して鋤《すき》とし、槍を打ち直して鎌とする。
国は国に向かって剣を上げず、もはや戦うことを学ばない。
ヤコブの家よ、主の光の中を歩もう。（「イザヤ書」二章二～五節）

そして、現実はむしろこうではないのか。

イスラエルの家は万軍の主のぶどう畑
主が楽しんで植えられたのはユダの人々。
主は公平（ミシュパト）を待っておられたのに、見よ、流血（ミスパハ）。

正義（ツェダカ）を待っておられたのに、見よ、叫喚（ツェアカ）。（同五章七節）

では、この現実を回避するには、何が必要なのであろうか。預言者アモスの要請は、きわめて簡潔である（「アモス書」五章一四～一五節）。

善を求めよ、悪を求めるな、お前たちが生きることができるために。
そうすれば、お前たちが言うように
万軍の神なる主はお前たちと共にいてくださるだろう。
悪を憎み、善を愛せよ、また、町の門で正義を貫け。
あるいは、万軍の神なる主が、ヨセフの残りの者を憐れんでくださることもあろう。

では、善とは何か。悪とは何か。

お前たちの血にまみれた手を洗って、清くせよ。
悪い行いをわたしの目の前から取り除け。
悪を行うことをやめ、善を行うことを学び
裁きをどこまでも実行して、搾取《さくしゅ》する者を懲《こ》らし、

孤児の権利を守り、やもめの訴えを弁護せよ。(「イザヤ書」一章一五〜一七節)

弱者の立場に立つことこそ善

イザヤによれば、善とは「孤児の権利を守り、やもめの訴えを弁護する」ことだと言う。つまり、弱者の権利を最大限に守ることである。強者であることをやめ、弱者の立場に立つこと、これが善であり、その逆が悪である。

しかし、「悪を憎み、善を愛し」ても、それがそのまま救済につながるわけでもない。アモスの言葉には「あるいは……憐れんでくださることもあろう」という条件が付されている。神の憐れみは人間の努力の向こう側にある。しかし、それにもかかわらず、人間は最大限の努力をして、神の憐れみを待つしかないのである。努力なしでは、神の恩寵はこない。ここに、ユダヤの民が律法を守ることへのこだわりの意味を読み取ることができるのである。彼らは、律法がそのまま救済に直結するとは思っていない。しかし、律法を守ることなしには救済はありえない。彼らは、律法を守りつつ、待つのである。

この言葉は、ひとりユダヤの民のみに語られているのではない。ユダヤを超えて全世界の民に向かって語られてもいることを、われわれは心に刻み込むべきであろう。

狼は小羊と共に宿り、豹《ひょう》は子山羊と共に伏す。

子牛は若獅子と共に育ち、小さい子供がそれらを導く。

牛も熊も共に草をはみ、その子らは共に伏し、
獅子も牛もひとしく干し草を食らう。

乳飲み子は毒蛇の穴に戯れ、幼子は蝮《まむし》の巣に手を入れる。

わたしの聖なる山においては、何ものも害を加えず、滅ぼすこともない。

水が海を覆っているように、大地は主を知る知識で満たされる。（「イザヤ書」一一章六〜九節）

われわれもまた、強者の論理を捨て、弱者の立場に立たなければならない。そうして初めて、強者も弱者もない社会が生じることを、この預言は語っているのである。

これこそまさに、歴史の枠を超えた真の意味での「ユダヤ」である。その現前まで、時空のなかに存在したユダヤは、弱者の立場に立ちえた限りにおいて、「しるし」としての役割を担い続けてきたし、これからも担い続けるであろう。

注

第一章

(1) G・フォン・ラート「六書の様式史的諸問題」『旧約聖書の様式史的研究』(荒井章三訳)、日本基督教団出版局、一九六九年、七ページ以下。

(2) 詳しくは、C・ケルレル『家畜系統史』(加茂儀一訳)、岩波文庫、一九三五年、一二〇ページ以下参照。

(3) 飯沼二郎「歴史のなかの風土」『飯沼二郎著作集I』、未来社、一九九四年、二五ページ以下参照。

(4) 荒井章三「『わたしの父の神』とヤハウェ」松蔭女子学院大学『キリスト教論藻』一三(一九八〇年)、一～一六ページ。

第二章

(1) 普遍的、永遠の太陽神アテンを賛美する「アテン讃歌」(彼自身の作であるとされている)が、その類似性のゆえに『旧約聖書』の「詩編一〇四」に大きな影響を与えたと考える学者もいるが、現在では、支持されていない。「アテン讃歌」については『筑摩世界文学大系1 古代オリエント集』、六一二ページ以下参照。

(2) B.Albrektson, “On the Syntax of ’ehje ’aser ’ehje in Exodus 3 : 14”, Words and Meanings, Essays in Honor of Winton Thomas, 15-28 ; Th. C. Vriezen, “Ehje ’aser ’ehje”, Festschrift für Alfred Bertholet, Tübingen, 1950, 498-512.

(3) ウガリットは、北シリアの沿岸部にあった都市国家で、エジプト、小アジア、ギリシアなどとの交易で栄えた港町である。一九二九年以降のフランス調査団によるラス・シャムラの発掘によって、その存在が明らかになった。「ケレト叙事詩」などイスラエル文学に与えた影響は大きい。本書一四四ページ以下参照。P・C・クレイギー『ウガリトと旧約聖書』(津村俊夫監訳)、教文館、一九九〇年参照。

(4) ANET 376-378. ; ANEP pl. 342-343.

(5) アルファベットの表は『旧約・新約聖書大事

典』、八四~八五ページ、一一八二ページから合成して作成した。

(6)『旧約・新約聖書大事典』二五三ページ「オストラカ」の項より、訳文は「第一〇年にアザ(地名)からガディヤ(受取人)に精製油一壺」「第一五年にアビエゼル(地区)からアヒメレクの〔息子〕アサ(受取人)に。エルマタンのバアラ(差出人)」。

(7) 一行目「貫水路(が完成された)、そして以下が貫通に至った経過である。まだ(石工たちが)」二行目「つるはしを(振るい)、互いに向かい合って掘っていた時、そして貫通までにまだ三アンマ(約一・五メートル)残っていた時、各々の者が……(を聞)き……」三行目「(そして)相手方を(見)た(?)。というのも岩面の右と(左)に割れ目(?)があったからである。そして」四行目「貫通の日、石工たちは互いに対し掘り合い、つるはしとつるはしがかち合った。その時」五行目「水が(ギホンの)泉から(シロア)貯水池に流れ込んだ。長さ一二〇〇アンマ(約六〇〇メートル)、そして」六行目「岩の高さは石工の頭上一〇〇アンマ(約五〇メートル)であった」。『旧約・新約聖書大事典』、九九二ページ。

(8) G.Quell, Theologisches Wörterbuch zum Neuen Testament, III, Stuttgart, 1933, S.1066.

第三章

(1) W.F.Albright, "The Israelite Conquest of Canaan in the Light of Archaeology", The Bulletin of the American Schools of Oriental Research, 74(1939), 11-23. ; The Biblical Period from Abraham to Ezra, New York, 1963. ; Yahweh and the gods of Canaan : A Historical Analysis of Two Contrasting Faiths, New York, 1968.『古代パレスティナの宗教』(小野寺幸也訳)、日本基督教団出版局、一九七八年。以下邦訳のみを挙げる。『パレスティナの考古学』(十時英二、戸村政博訳)、日本基督教団出版局、一九八六年。『考古学とイスラエルの宗教』(小野寺幸也訳)、日本基督教団出版局、一九七三年。G.E.Wright, Biblical Archaeology, Philadelphia, 1962.『概説聖書考古学』(山本七平抄訳)、山本

書店、一九六四年。他に『聖書考古学入門1』（塩野靖男訳）、教文館、一九七九年がある。

（2）J・ブライト『イスラエル史　上』、一七八ページ。

（3）A.Alt, "Die Landnahme der Israeliten in Palästina. Territorialgeschichtliche Studien", Leipzig, 1925(= Kleine Schriften I, 1953, 193-202). M. Noth, Geschichte Israels, Göttingen, 1950. 『イスラエル史』（樋口進訳）、日本基督教団出版局、一九八三年。他に邦訳のみを挙げる。『モーセ五書伝承史』（山我哲雄訳）、日本基督教団出版局、一九八六年。『旧約聖書の歴史文学』（山我哲雄訳）、日本基督教団出版局、一九八八年。『契約の民　その法と歴史』（柏井宣夫訳）、日本基督教団出版局、一九六九年。

（4）M.Noth, Das System der zwölf Stämme Israels, Stuttgart, 1930.

（5）G.E. Mendenhall, "The Hebrew Conquest of Palestine", The Biblical Archaeologist, 25 (1962), 66-87. 他に、十戒とヒッタイトの宗主権条約との関係について論じた重要な論文 "Ancient oriental and Biblical Law", The Biblical Archaeologist, 17 (1954), 26-46. がある。

（6）鯖田豊之『肉食の思想』、中公新書、一九六六年。

（7）J・フィネガン『古代文化の光〔増補版〕』、一二〇ページ以下。

（8）G.E.Mendenhall, The Tenth Generation : The Origins of the Biblical Tradition, Baltimore, 1973.

（9）たとえば、N・K・ゴットヴァルトは、革命に起源を求める。N.K.Gotwald, "Were the early israelites pastoral nomads ?", Rhetorical Criticism, Essays in Honor of James Muilenburg, 1974, Pitsburgh, 223-255. ; "The Hypothesis of the Revolutionary Origins of Ancient Israel", Journal for the Study of the Old Testament 7(1978), 37-52. ; The Tribes of Yahweh : A Sociology of the Religion of Liberated Israel, New York, 1979. その他 M. Weippert, Die Landnahme der israelitischen Stämme in der neueren wissenschaftlichen Diskussion, Göttingen, 1967.

第四章

（1）ANET, 228.

（2）『筑摩世界文学大系1　古代オリエント集』、四〇八ページ以下。

（3）Y.Aharoni, The Land of the Bible : A Historical Geography, London, 1962, map. 9, 11.

（4）J・ブライト『イスラエル史　上』、二七一ページ。R. de Vaux, Ancient Israel : Its Life and Institutions, New York, 1961, 136.

（5）J・ブライト『イスラエル史　上』、一二七ページ。

（6）K. Baltzer, "Naboths Weinberg (1 Kön, 21), Der Konflikt zwischen israelitischem und kanaanäischem Bodenrecht", Wort und Dienst, NF8 (1965), 73-88. 荒井章三「ナボテの葡萄畑と土地法」松蔭女子学院大学『キリスト教論藻』二〇（一九八七年）。

（7）『筑摩世界文学大系1　古代オリエント集』、二七五ページ以下。

（8）O. Borowski, Agriculture in Iron Age Israel, Indiana, 1987, 31-38.

（9）『筑摩世界文学大系1　古代オリエント集』、二九二ページ他。

第五章

（1）詳しくは、H・リングレン『イスラエル宗教史』（荒井章三訳）、教文館、一九七六年、五九～六〇、六八～七一ページ。M・ルルカー『聖書象徴事典』（池田紘一訳）、人文書院、一九八八年、一四四～一四六ページ。W・H・シュミット『歴史における旧約聖書の信仰』（山我哲雄訳）、新地書房、一九八五年、二三二～二三八ページ。R・ドゥ・ヴォー『イスラエル古代史』（西村俊昭訳）、日本基督教団出版局、一九七七年、六四九ページ以下参照。

第六章

（1）ANEP pl. 804. J・フィネガン『聖書年代

学』、一六五ページ参照。

（2）Marc-Antoine Charpentier（1643-1704）, "Les Leçons de Ténèbres" René Jacobs を中心とした Concerto Vocale によるＣＤがある（Harmonia Mundi France）。

（3）S.Haïk-Vantoura, "La Musique de la Bible révélée", Vol. 1-3, Harmonia Mundi France.

第七章

（1）ANEP pl. 537.

（2）H. Lommel, Die Religion Zarathustras, Tübingen, 1930, S. 12. ヘルマン・フォレンダー「捕囚という危機に対する応答としてのイスラエル唯一神教」Ｂ・ラング編『唯一なる神―聖書における唯一神教の誕生』（荒井章三・辻学訳）、新教出版社、一九九四年、一七五ページ参照。

（3）B. Lang, "Street Theater, Raising the Dead, and the Zoroastrian Connection in Ezekiel's Prophecy", in Lust(ed.) Ezekiel and his Book, Leuven, 1986.

（4）Ｙ・ヤディン『マサダ』（田丸徳善訳）、山本書店、一九七五年、二六二～二六四ページ。

（5）一九五一年ユダヤの荒野ワディ・ムラバアトでバル・コクバの手紙が発見された。その一つ。「シメオン・ベン・コセバからイェシュア・ベン・ガルグラと砦の人々に。シャローム！　私は天にかけて誓うが、お前たちのもとにいるガリラヤ人（兵士）の一人に害を加えた者に足枷をかける。ベン・アフルルに対して行ったように。シメオン……」

第八章

（1）「ダマスコ文書」は、一八九六年カイロ市のゲニザ（使用されなくなった聖書を保管しておく場所）で発見された前一世紀の文書。ハシディームの流れを汲むエッセネ派のものと思われる。クムランでもその断片が発見され、教団との共通点が多い。

（2）死海の西岸のキルベト・クムラン「クムランの廃墟」の洞穴から、一九四七年多数の文書が発見された。これを「死海文書」と呼んでいるが、全部で四〇を超える洞穴のうち一一の洞穴から羊皮紙に書かれた巻物や断片が発見されている。『旧約聖書』の本文の他に、この教団の教義や規則を書いた「宗規要覧」、「感謝の詩篇」や「神殿文書」、「ハバクク書注解」など、クムラン教団独特の文書も含まれており、紀元前後のキリスト教と並行するユダヤ思想を知るには重要な文書である。『旧約聖書』のうちで完全な形で残されている巻物は六六章すべてを含む「イザヤ書」であり、前一世紀に書かれたものと考えられている。ちなみに、従来最古の『旧約聖書』テキストは紀元後一〇世紀のものであった。「七十人訳聖書」の断片や、その元となったと思われるヘブル語テキストも発見されており、現在の「マソラ本文」（紀元後六世紀以降にテキストの正確な伝承を守るために活動した学者、マソラは「伝承」の意味である）との比較は、ヘブル語聖書本文批評研究に新たな光を投げかけた。さらに、新約聖書と共通する断片も発見され、話題を呼んでいる。1Q～11Qは洞穴の番号を表し、そのあとのアルファベットは、テキストを示す。1QSは、第一洞穴から発見された「宗規要覧」を、1Q Isaは、同じ洞穴から発見された「イザヤ書」を示す。

（3）前二世紀後半に執筆された「旧約偽典」で、その完全な本文はエチオピア語写本によって知ることができる。創造から出エジプトまでの歴史をたどっている。『聖書外典偽典』四、「旧約偽典Ⅱ」一五八ページ。（ちなみに「偽典」は「外典」より下にランクづけられてきた）

＊第三章、第四章は旧稿「旧約における主流と反主流」（『聖書セミナー』九、日本聖書協会、一九九四年）を改訂したものである。　（著者）

参考文献

主たる参考文献

Herbert Danby, The Mishnah, Oxford Univ. Press, 1933.「ミシュナ」と省略
Rabbi I. Epstein, The Babylonian Talmud, The Soncino Press, London, 1938.「バビロニア・タルムード」と省略
なお、総括編集者、石田友雄による日本語版『タルムード』の刊行が一九九三年に開始されたが、一九九八年以降中断している。
日本聖書学研究所訳編『死海文書』、山本書店、一九六三年
J. B. Pritchard(ed.), Ancient Near Eastern Texts Relating to the Old Testament, 1952. (ANET と省略)
J. B. Pritchard(ed.), The Ancient Near East in Pictures Relating to the Old Testament, 1954. (ANEP と省略)
『旧約新約聖書大事典』教文館、一九八九年
『聖書外典偽典』全七巻、別冊二冊、教文館、一九七五〜八〇年
杉勇・三笠宮崇仁編『筑摩世界文学大系1　古代オリエント集』、筑摩書房、一九七八年
J・フィネガン『古代文化の光〔増補版〕』(三笠宮崇仁・赤司道雄・中沢洽樹訳)、岩波書店、一九六一年
J・フィネガン『聖書年代学』(三笠宮崇仁訳)、岩波書店、一九六七年

一般的ユダヤ教関係文献

〔歴史〕

F・ヨセフス『ユダヤ戦記　I～III』（新見宏・秦剛平訳）、山本書店、一九七五～八二年
　　　　　　『ユダヤ古代誌　I～XX』（秦剛平訳）、山本書店、一九七九～八四年
J・ブライト『イスラエル史　上・下』（新屋徳治訳）、聖文舎、一九八二年
R・ドゥ・ヴォー『イスラエル古代史』（西村俊昭訳）、日本基督教団出版局、一九七七年
　　　　　　『続イスラエル古代史』（西村俊昭訳）、日本基督教団出版局、一九八九年
M・ノート『イスラエル史』（樋口進訳）、日本基督教団出版局、一九八三年
M・メッツガー『古代イスラエル史』（山我哲雄訳）、新地書房、一九八三年
C・ロス『ユダヤ人の歴史』（長谷川真・安積鋭二訳）、みすず書房、一九六六年
H・H・ベンサソン『ユダヤ民族史　1～6』（石田友雄他訳）、六興出版、一九七六～七八年
石田友雄『ユダヤ教史』、山川出版社、一九八〇年
S・サフライ／M・シュテルン編『総説・ユダヤ人の歴史　上』（長窪専三他訳）、新地書房、一九八九年
H・G・キッペンベルク『古代ユダヤ社会史』（奥泉康弘・紺野馨訳）、教文館、一九八六年

〔地図・年表〕
『新教＝タイムズ聖書歴史地図』（荒井章三・山内一郎監訳）、新教出版社、一九九三年
『新聖書地図』（三笠宮崇仁監修）、図説世界文化地理大百科、朝倉書店、一九八八年
『ジューイッシュ・ワールド』（板垣雄三監修）、図説世界文化地理大百科、朝倉書店、一九九六年
旧約新約聖書大事典編集委員会編『聖書地図』、教文館、一九九〇年
山我哲雄・佐藤研『旧約新約聖書時代史』、教文館、一九九二年
ミルトス編集部編『イスラエル・ガイド』、ミルトス、一九八八年
池田裕・横山匡『カラー版聖書の国の日常生活　一～三』、教文館、一九九三～九六年

〔ユダヤ教〕
滝川義人『ユダヤを知る事典』、東京堂出版、一九九四年
M・I・ディモント『ユダヤ人―神と歴史のはざまで』（藤本和子訳）、朝日新聞社、一九七七年
A・ウンターマン『ユダヤ人　その信仰と生活』（石川耕一郎・市川裕訳）、筑摩書房、一九八三年
A・シーグフリード『ユダヤの民と宗教』（鈴木一郎訳）、岩波新書、一九六七年
J―P・サルトル『ユダヤ人』（安堂信也訳）、岩波新書、一九五六年
池田裕『人間の世界歴史1　旧約聖書の世界』、三省堂、一九八二年
H・リングレン『イスラエル宗教史』（荒井章三訳）、教文館、一九七六年
M・ウェーバー『古代ユダヤ教　Ⅰ・Ⅱ』（内田芳明訳）、みすず書房、一九六二、六四年
上田和夫『ユダヤ人』、講談社現代新書、一九八六年
M・モリスン／S・F・ブラウン『ユダヤ教』（秦剛平訳）、青土社、一九九四年
Y・H・イェルシャルミ『ユダヤ人の記憶、ユダヤ人の歴史』（木村光二訳）、晶文社、一九九六年
小岸昭『離散するユダヤ人―イスラエルへの旅から』、岩波新書、一九九七年
吉見崇一『ユダヤの祭りと通過儀礼』、リトン、一九九四年
M・ヘンゲル『ユダヤ教とヘレニズム』（長窪専三訳）、日本基督教団出版局、一九八三年
J・ニューズナー『パリサイ派とは何か』（長窪専三訳）、教文館、一九八八年
土岐健治『初期ユダヤ教と聖書』、日本基督教団出版局、一九九四年

〔思想〕
M・ブーバー『ブーバー著作集3　ハシディズム』（平石善司訳）、みすず書房、一九六九年
――『ブーバー著作集6・7　預言者の信仰　Ⅰ・Ⅱ』（高橋虔訳）、みすず書房、一九六八年
E・フロム『ユダヤ教の人間観』（飯坂良明訳）、河出書房新社、一九八〇年

レオ・ベック『ユダヤ教の本質』（有賀鉄太郎訳）、全国書房、一九四六年
A・シュラキ『ユダヤ思想』（渡辺義愛訳）、白水社、一九六六年
I・エプスタイン『ユダヤ思想の発展と系譜』（安積鋭二・小泉仰訳）、紀伊国屋書店、一九七五年
C・トレモンタン『ヘブル思想の特質』（西村俊昭訳）、創文社、一九六三年
T・ボーマン『ヘブライ人とギリシャ人の思惟』（植田重雄訳）、新教出版社、一九五七年
P・ラピデ／J・モルトマン『唯一神か三一神か―ユダヤ教とキリスト教の対話』（青野太潮・松見俊訳）、ヨルダン社、一九八五年
関根正雄『人類の知的遺産1　古代イスラエルの思想家』、講談社、一九八二年
――『イスラエル宗教文化史』、岩波書店、一九五二年
荒井章三・森田雄三郎『ユダヤ思想』、朝日カルチャーブックス、大阪書籍、一九八五年

原本あとがき

「毎日放送」で「歌うフランス語講座」という番組があった。大学に入学したころである。たしか伊吹武彦先生の担当であったと思う。「パリの空の下」など有名なシャンソンが主であったが、その中になぜか「彷徨《さまよ》えるユダヤ人」(Juif errant) という歌があった。黒い表紙の小冊子はもはや私の手元にはなく、放送局にも残されていないようなので、どのようなメロディーだったのか、思い出せないのであるが、奇妙にその曲名だけは、ずっと心の片隅に留まっていた。

芥川龍之介に「さまよへる猶太人」という短編がある。ヨセフという名のユダヤ人が、ゴルゴタの刑場にひかれて行く途中、彼の家の戸口に立ち止まって、ひと息つこうとしたキリストに向かって罵声《ばせい》を浴びせかけ、散々打擲《ちようちやく》を加えた。その時、キリストが彼に「行けと云ふなら、行かぬでもないが、その代り、その方はわしの帰るまで、待つて居れよ」という呪いをかけた。そのヨセフがしばしばキリスト教国に現れたというのが、「さまよへる猶太人」伝説である。

龍之介は、そのユダヤ人が日本にも現れたという伝説を、偶然手に入れた写本の中に発見したと記し、さらに、キリストを十字架に付けた兵士とか、このヨセフよりもさらに重大な罪を犯したユダヤ人がいるにもかかわらず、なぜこのヨセフのみが、永劫の呪いを受けなければならないのかという疑問が、その写本を読むことによって解消したと、次のような文章を引用している。「されば恐らく、えるされむは広しと云へ、御主を辱めた罪を知つてゐるものは、それがしひとりでござらう。罪を知ればこそ、呪もかゝつたのでござる。罪を罪とも思はぬものに、天の罰が下らうやうはござらぬ。……但し罰をうければこそ、贖《あがな》ひもあると云ふ次第ゆゑ、やがて御主の救抜を蒙るのも、それがしひとりにきはまりました。罪を罪と知るものには、総じて罰と贖ひとが、ひとつに天から下るものでござる」。

龍之介がキリシタンの視点から書いていることは差し措いても、彼はここで罰と贖いとの関係についての卓見を披瀝《ひれき》しているように私には思われる。まさに、この「さまよえるユダヤ人」こそ、罪を罪と知り、罰と贖いとを体現した人物なのである。

この「ヨセフ」の歩みはまさに、ユダヤ人の全歴史であると言ってよいであろう。私は本書で、ユダヤ教が宗教史的には普通の宗教と変わらぬ展開をしてきたことを示しながら、それにもかかわらず、その変転を自覚的に想起し、罰を自らのものとし、贖いを歴史のなかで待望してきた民族の宗教であることを示したかった。私が本書で書いたことは、その長い歴史の端緒でしかない。しかし、ユダヤ教の誕生までの前史が、ほとんどユダヤ教を決定づけたのであり、その後の歴史は、その応用の流れと言えないこともない。ちょうど、タルムードがタナッハの解釈であったように。本書のタイトル『ユダヤ教の誕生』には、そのような意味が込められている。

講談社の渡部佳延さんから、「ユダヤ教」に関する本を書くように請われたのは、一九九三年の末のことであった。私の専攻は旧約聖書学であって、ユダヤ教全般にわたるものではない。そのことを理解していただいて、私なりのユダヤ理解を知ってもらうつもりで、スケッチも提出し、その準備をしていた。ところが、一九九五年の阪神大震災がこの予定を狂わせてしまった。家の建て替えという物理的な面だけでなく、私の精神的状況・研究環境を大きく変えてしまったからである。しかし、そのような私を多くの友人たちが支援してくれた。渡部さんもその一人である。

その年の五月から一年間、私は大震災の被害に遭遇した人々の気持ちを重ね合わせながら、また、中学一年のとき遭遇した福井大震災のことを想起しながら、破壊されたエルサレムのなかで飢え渇き、しかも異教の地バビロンへと捕らえ移された人々に向かって、神の審きと慰めを語った預言者エゼキエルの言葉を文章にし、ある雑誌に連載した。その連載が終わったころ、渡部さんから、「選書メチエ」編集部に移られたとの報告と同時に励ましの言葉をいただいた。

本書は、広範なユダヤ教の世界を非才な一旧約学徒の眼から垣間見たものにすぎない。それが今、「選書メチエ」の一冊として世に出ることになったのは、ひとえに渡部さんの励ましの力と助言によるところが大きい。心から感謝する次第である。校閲、図版作成など面倒な仕事をしてくださったスタッフにも同様の感謝を述べたいと思う。

一九九七年（阪神大震災第三年）九月一日

荒井章三

文庫版あとがき

『ユダヤ教の誕生――「一神教」成立の謎』が「選書メチエ」の一冊として出版されてから、一五年が経過した。その間、日本のみならず、世界のいたるところで、さまざまな出来事が生起した。最も身近な出来事は、「東日本大震災」である。

選書メチエ版の「あとがき」で、「阪神大震災」が私の仕事に大きな影響を与えたことを書いたが、今回の大震災・大津波は、ヨブでさえ、神を呪いたくなるような大惨劇をもたらした。しかしながら、その一方で原子力発電所の崩壊には、あまりにもオプティミスティックな「安全神話」のなかに潜む、神を畏れぬ人間の傲慢さを思い知らされた。あれは、まさに現代の「バベルの塔」の崩壊であり、放射性物質の拡散による無辜の民の不本意な移住にいたっては、あの「バビロン捕囚」以外の何物でもないと言えるであろう。

また9・11のアメリカ同時多発テロは、「一神教」のもつ非寛容さの危うさを明るみに出した。トーマス・マンは短編『掟』(佐藤晃一訳、全集第八巻所収)のなかで、モーセが、人の目に映らない神の存在を説くことがいかに困難な事業であるかを述べているが、傲慢や悪の神もまた、目に見えない存在であることも確かであり、それを排除することも同じよう

ない。ユダヤ教でさえ、常に正しい宗教であり続けたわけではない。私は「周辺と中心」ということを念頭に置きながら、本書を書いたのだが、今もその考えは変わらない。

「選書メチエ」版の出版後、二〇〇二年には、M・ブーバー聖書著作集の第一巻『モーセ』を早乙女禮子・山本邦子さんと共訳、出版し、二〇〇六年から二〇〇八年までのハイデルベルク大学・日本学科の客員教授としてのドイツ滞在から帰国後、二〇〇九年には、K・コッホ『預言者II』を翻訳（『同　I』は一九九〇年、木幡藤子さんと共訳）出版した。本年二月には、並木浩一さんとの共編著として『旧約聖書を学ぶ人のために』を世に問うた。これらの書は、いずれも、ユダヤ教の中心的メッセージをよりよく知るために役立つであろう。

今回の「講談社学術文庫」への採用は、「選書メチエ」の前任の渡部佳延さんの後を継がれた、稲吉稔さんのご進言による。学術文庫の一冊として、世に再登場することができたことにたいして、稲吉さんに心からの感謝を申し上げたい。

二〇一二年（阪神大震災第一八年、東日本大震災第二年）一二月一日

荒井章三

KODANSHA

本書の原本は、一九九七年十月、小社より
講談社選書メチエとして刊行されました。

荒井章三（あらい　しょうぞう）

1936年，福井市生まれ。京都大学文学部哲学科卒業，立教大学大学院文学研究科組織神学専攻博士課程修了。神戸松蔭女子学院大学教授，学長を務める。神戸松蔭女子学院大学名誉教授。神学者。専攻は旧約聖書学。新共同訳聖書編集委員・翻訳委員。共編著に『ユダヤ思想』『旧約聖書を学ぶ人のために』，翻訳にG・フォン・ラート『旧約聖書神学』などがある。

講談社学術文庫

定価はカバーに表示してあります。

ユダヤ教《きょう》の誕生《たんじょう》「一神教《いっしんきょう》」成立《せいりつ》の謎《なぞ》

荒《あら》井《い》章三《しょうぞう》

2013年1月10日　第1刷発行
2024年4月15日　第8刷発行

発行者　森田浩章
発行所　株式会社講談社
東京都文京区音羽 2-12-21 〒112-8001
電話　編集（03）5395-3512
販売（03）5395-5817
業務（03）5395-3615

装　幀　蟹江征治
印　刷　株式会社新藤慶昌堂
製　本　株式会社国宝社
本文データ制作　講談社デジタル製作

© Shozo Arai　2013　Printed in Japan

落丁本・乱丁本は，購入書店名を明記のうえ，小社業務宛にお送りください。送料小社負担にてお取替えします。なお，この本についてのお問い合わせは「学術文庫」宛にお願いいたします。
本書のコピー，スキャン，デジタル化等の無断複製は著作権法上での例外を除き禁じられています。本書を代行業者等の第三者に依頼してスキャンやデジタル化することはたとえ個人や家庭内の利用でも著作権法違反です。Ⓡ〈日本複製権センター委託出版物〉

ISBN978-4-06-292152-7

「講談社学術文庫」の刊行に当たって

これは、学術をポケットに入れることをモットーとして生まれた文庫である。学術は少年の心を養い、成年の心を満たす。その学術がポケットにはいる形で、万人のものになることは、生涯教育をうたう現代の理想である。

こうした考え方は、学術を巨大な城のように見る世間の常識に反するかもしれない。また、一部の人たちからは、学術の権威をおとすものと非難されるかもしれない。しかし、それはいずれも学術の新しい在り方を解しないものといわざるをえない。

学術は、まず魔術への挑戦から始まった。やがて、いわゆる常識をつぎつぎに改めていった。学術の権威は、幾百年、幾千年にわたる、苦しい戦いの成果である。こうしてきずきあげられた城が、一見して近づきがたいものにうつるのは、そのためである。しかし、学術の権威を、その形の上だけで判断してはならない。その生成のあとをかえりみれば、その根は常に人々の生活の中にあった。学術が大きな力たりうるのはそのためであって、生活をはなれた学術は、どこにもない。

開かれた社会といわれる現代にとって、これはまったく自明である。生活と学術との間に、もし距離があるとすれば、何をおいてもこれを埋めねばならない。もしこの距離が形の上の迷信からきているとすれば、その迷信をうち破らねばならぬ。

学術文庫は、内外の迷信を打破し、学術のために新しい天地をひらく意図をもって生まれた。文庫という小さい形と、学術という壮大な城とが、完全に両立するためには、なおいくらかの時を必要とするであろう。しかし、学術をポケットにした社会が、人間の生活にとってより豊かな社会であることは、たしかである。そうした社会の実現のために、文庫の世界に新しいジャンルを加えることができれば幸いである。

一九七六年六月

野間省一